Sorcier!

Moka

Sorcier !

1. Menteurs, charlatans et soudards

Neuf
l'école des loisirs
11, rue de Sèvres, Paris 6e

Loi n° 49.956 du 16 juillet 1949 sur les publications
destinées à la jeunesse : mars 2006
Dépôt légal : mars 2006
Imprimé en France par Bussière
à Saint-Amand-Montrond
N° d'édit. : 8119. N° d'impr. : 060186/1.

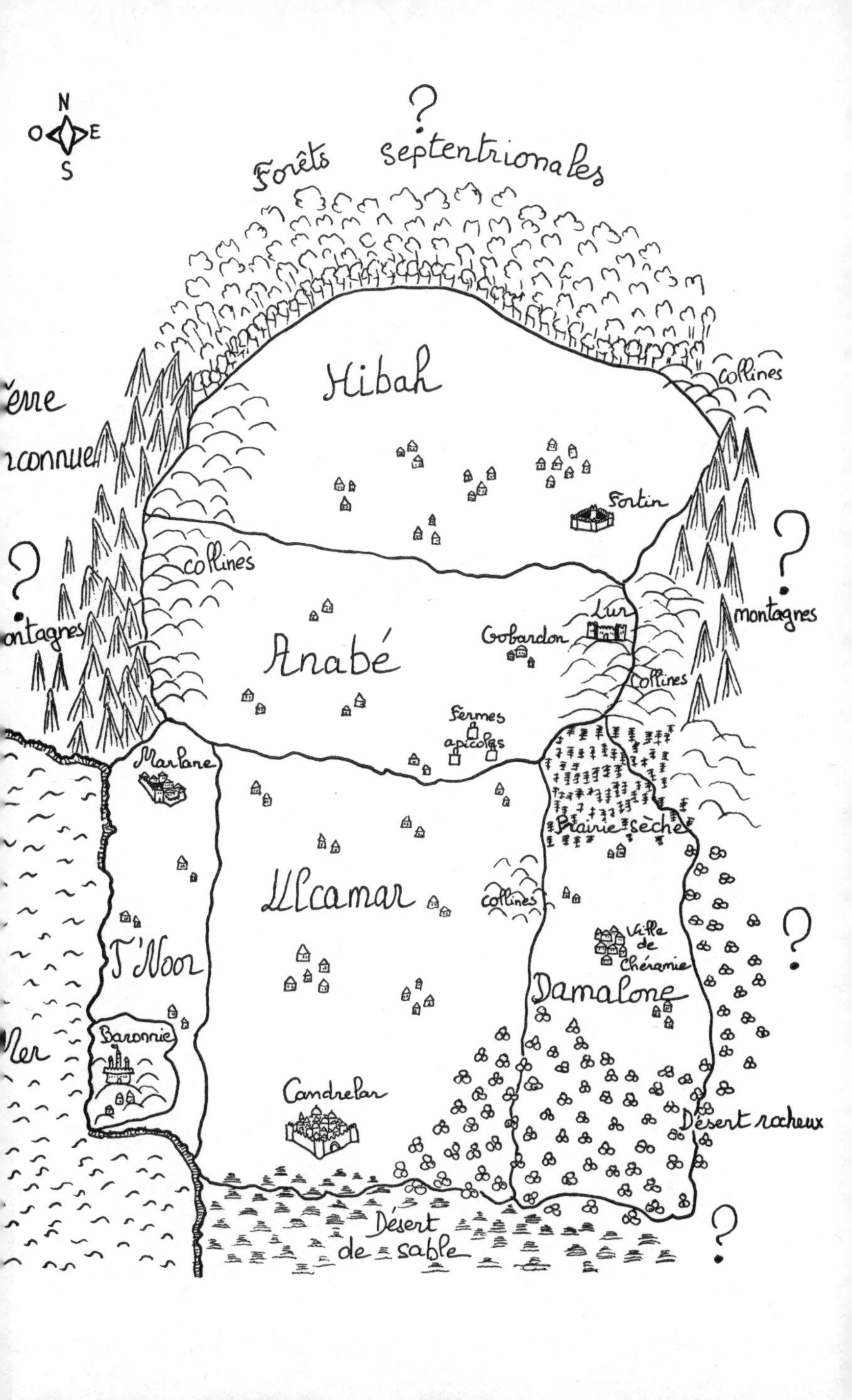

N
O
E
S
?
Forêts septentrionales
Hibah
collines
erre
nconnue
Fortin
?
collines
?
ontagnes
montagnes
Lur
Gobardon
Anabé
collines
Fermes
apicoles
Marlane
Prairie sèche
Ulcamar
collines
Ville
de
Chéramie
?
T'Noor
Damalone
Baronnie
Candrelar
Désert rocheux
Désert
de sable
?

Chapitre 1
Finn le fainéant

Finn chercha le fil de coton blanc dans son panier. Il n'y en avait plus beaucoup. Finn en fut fort contrarié. Il avait commencé une série de petits lapins sur sa nouvelle broderie. Il tint le carré de toile à bout de bras pour juger de l'effet. Peut-être serait-il judicieux de mettre des fleurs à la place d'un des lapins ? Il se décida en faveur d'un bouquet de carottes, plutôt. Il garderait le motif floral pour l'encadrement.

Finn reposa la broderie puis s'étira. Il faisait bon à l'ombre du grand saule pleureur. Le ruisseau était presque asséché par la chaleur. Ce devait être intenable dans l'école. Finn se mit à ricaner. Lui n'y allait pas ! Pourquoi s'enfermer dans une salle poussiéreuse quand il fait beau ? Pour apprendre à lire ? Aucun intérêt.

Le meunier du village passa sur le sentier en tirant un âne rétif. Eh oui... Les autres travaillaient dur. Finn ne faisait rien. Enfin si : de la broderie. Quand il en avait assez de flemmarder dans la nature, il rentrait à la maison et se faisait servir par sa mère. Et il ressortait à la nuit tombante pour aller draguer les filles. C'était probablement le seul moment où il se fatiguait un peu. Les filles, il fallait leur parler. Mais Finn était doué à ce jeu-là ! Demain aurait lieu le *Wexeliendfui'unfodemthhglyigframftieth.* Tout le monde disait « Wex » parce que le mot était imprononçable. C'était fait exprès : c'était la fête du Mot imprononçable. On se perdait en conjectures sur le sens. Chacun avait sa petite explication. On admettait généralement qu'il s'agissait d'un très ancien terme de sorcellerie. Cela n'avait aucune importance, de toute façon. On s'amusait, on dansait, on chantait, on mangeait, on buvait... Et on finissait à l'aube dans un coin discret avec une ou deux filles.

Donc, dans l'ensemble, la vie de Finn n'était pas désagréable.

Finn regarda au-delà des haies de viorne obier et de sureau noir. Les collines au doux arrondi étaient bleutées à l'horizon. Qu'y avait-il derrière ? Au nord, s'étendaient de profondes forêts aussi redoutables que redoutées. Au sud, certains prétendaient qu'on trouvait un aride désert sans fin. Très loin vers l'est, la terre rencontrait la mer dont la réputation égalait celle des forêts septentrionales: dangereuse, imprévisible, effroyable. Le pire cependant était à l'ouest. Là, croyait-on, était le Royaume du Mal absolu. Finn n'avait pas l'intention d'aller le vérifier.

Sur le chemin du retour, Finn croisa Duratte, le maître d'école. Celui-ci fronça les sourcils et caressa sa longue barbe grise d'un air mécontent.

– Pas venu encore aujourd'hui, fainéant! lança-t-il.

– Vous ne devriez pas vous adresser à moi sur ce ton, répondit Finn.

– Parce que tu t'imagines que tu me fais peur, freluquet?

Finn agita la main comme pour s'éventer. C'était une façon de signifier: «Cause toujours, vieux débris!» Duratte haussa les épaules et continua sa route en marmonnant. Finn se retourna et le regarda s'éloigner. Il avait bien entendu. Duratte avait dit: «Tu riras moins dans une semaine.» Or, dans très exactement six jours, Finn aurait l'âge de seize ans. Il fronça les sourcils puis décida que Duratte n'était qu'un vieillard débile.

Une légère fumée blanche s'élevait au-dessus de sa maison. Loudana, sa mère, préparait le dîner. Tant mieux, il commençait à avoir faim. Un fumet de poisson grillé parvint à ses narines. Il grogna en poussant la porte.

– Encore ! protesta-t-il. J'ai envie d'une belle poularde rôtie !

Loudana épluchait des panais, assise à la table. Elle paraissait toujours jeune et fraîche malgré un embonpoint qui menaçait de se transformer en obésité. Son visage, autrefois joli, était malheureusement aussi grassouillet que le reste. Les yeux restaient remarquables, cependant, d'un étonnant bleu gris dont avait hérité son fils. Hélas, son regard était d'une telle stupidité qu'il gâchait tout.

– Mais ça coûte un demi-boisseau d'épeautre ! répliqua-t-elle.

– Je ne vois pas où est le problème. Le fermier t'en donnera une !

– Il ne veut plus, avoua Loudana honteusement.

– Comment ? tempêta Finn. Est-ce qu'il a oublié qui j'étais ?

– Ben… il dit que, pour le moment, tu n'es pas grand-chose…

Finn laissa tomber sa mâchoire inférieure et parut soudain aussi stupide que sa mère.

– Mais ce n'est pas grave ! s'empressa d'ajouter Loudana. Le pêcheur m'a fait cadeau de ces…

– Je ne suis pas grand-chose ! hurla Finn. Moi ? Moi ?

– Je t'en prie, ne crie pas, implora Loudana. Il n'a pas le moral, le pauvre homme. Avec sa femme malade et ses huit enfants… Et puis les furets lui ont croqué quelques poules.

– En quoi ça me concerne ? fulmina Finn. Je vais lui apprendre le respect, à ce paysan !

– Voyons, mon garçon… Il faut faire preuve d'un peu de compassion envers le commun des mortels.

À ces mots, Finn se tourna instinctivement vers le morceau de miroir accroché sur le mur. Il sourit en contemplant son reflet. Il n'était en rien comparable avec le « commun des mortels ». D'abord, il était beau. Peut-être ni tout à fait assez grand ni assez musclé. Il avait tout de même fière allure. Mais son physique, en dehors du fait qu'il en était satisfait, n'était pas le plus important. Finn était un être d'exception. Du côté paternel. Parce que, du côté maternel, ça laissait à désirer...

Loudana était fille mère. Autrement dit, Finn était un bâtard. Mais pas le bâtard de n'importe qui. Celui de Miricaï le Grand. Le *plus* grand de tous les sorciers. Le plus mystérieux aussi. Finn s'était souvent demandé comment un tel personnage avait pu être séduit par Loudana. Parce qu'il fallait bien le reconnaître : elle était d'une bêtise affligeante. Sans doute, quelque seize années auparavant, Loudana avait eu pour elle la jeunesse et la beauté. Miricaï n'avait pas dû perdre son temps à lui faire la conversation. Et puis il ne s'était pas attardé dans les environs, c'était peu de le dire... Miricaï s'était volatilisé. Totalement. Absolument. Définitivement, peut-être... Même les Vénérables Maîtres Sorciers n'avaient aucune idée de ce qui lui était arrivé. Cela ne semblait pourtant pas les surprendre. Miricaï avait toujours été un solitaire, un esprit libre et indépendant, un brin rebelle sur les bords. Il n'écoutait personne, les Vénérables Maîtres Sorciers encore moins que les autres. Ces derniers lui en gardaient une certaine rancune. Ils évitaient d'exprimer leurs griefs car, même disparu et introuvable, Miricaï était craint par ses pairs. Quant aux autres, rien que l'évocation de son nom suffisait à les terroriser. Ainsi, depuis qu'il était né, Finn bénéficiait de la protection d'un... absent.

Les avantages étaient multiples. Finn faisait tout ce qu'il voulait. Les villageois et les paysans les nourrissaient, lui et sa mère, sans qu'ils aient besoin de payer ou de travailler. On les respectait, par peur. L'ombre menaçante de Miricaï y était pour beaucoup, mais ce n'était pas la seule raison. Finn lui-même était destiné à devenir un sorcier. Et qui pouvait affirmer qu'il ne deviendrait pas plus puissant encore que son père? Son hérédité était déjà une garantie. Pour le reste, les Vénérables Maîtres Sorciers s'en chargeraient. Finn, à l'âge d'homme, irait apprendre tous les secrets, toutes les formules, toutes les potions auprès d'eux. Or Finn serait un homme à ses seize ans. Ça, c'était l'inconvénient... Il devrait aller à l'école! Mais l'école des Maîtres Sorciers, ce n'était quand même pas pareil que celle de Duratte. D'ailleurs, Finn ne doutait pas une seconde qu'il était formidablement doué pour la magie. Il ne lui manquait que quelques enseignements et un bon grimoire. En attendant, Finn était bien décidé à profiter de ses six derniers jours d'insouciance et de plaisir.

*
* *

L'occasion de se distraire ne tarda pas à se présenter avec la fête du Wex. Les habitants du comté d'Anabé se retrouvaient tous au village de Gobardon pendant un jour et une nuit. Chacun apportait quelque chose, victuailles, boissons et instruments de musique. Finn et Loudana venaient les mains vides et profitaient de tout.

La journée était essentiellement dédiée à se remplir la panse et à s'humecter le gosier. Les moins prévoyants ou les plus mauvais danseurs roulaient sous la table avant le coucher du soleil. Les autres s'ingéniaient à trouver un équilibre satisfaisant entre manger et boire beaucoup et rester suffisamment frais pour danser et flirter la nuit venue.

Finn ne dédaignait pas la bonne chère. Il se méfiait davantage de la mauvaise bière trop alcoolisée qui vous flanquait généralement la colique avant de vous soûler. Installé sous le charme de la place, Finn se délectait d'une grosse et bien grasse cuisse de poularde. Il observait avec amusement le manège de l'insolent Quintus à quatre pattes sous les tables. De là, Quintus soulevait les jupons des filles qui servaient les plats. Il finit par être débusqué par la jolie Malgosia, qui le chassa à grands cris. Malgré ses protestations sévères, Malgosia ne pouvait s'empêcher de rire. Quintus détala pour mieux revenir taquiner ces demoiselles en dénouant les nœuds de leurs tabliers blancs.

Finn bâilla en regardant le soleil décliner. Bizarrement, il se mit à penser à ce qu'il y avait (peut-être) dans ces contrées lointaines de l'Ouest. C'était quoi, au juste, le Royaume du Mal absolu ? Personne n'en parlait vraiment. À peine l'évoquait-on pour effrayer les gamins désobéissants. Mais ce n'était que pour décrire des créatures maléfiques et probablement imaginaires, dont le seul but dans l'existence était de dévorer les vilains enfants. Peu crédible, en somme... Finn se demanda si les Vénérables savaient quelque chose à ce sujet. Il ressentit soudain une grande excitation. Oui, il allait sans doute apprendre de terribles secrets. Les sorciers étaient des voyageurs. Ils parcouraient le monde des années durant. Certains rejoignaient ensuite l'école des Maîtres dans l'impressionnante forteresse de Lur. De toute évidence, ils rapportaient de précieuses informations de leurs périples. Quant aux autres... D'étranges histoires circulaient sur ces magiciens qui refusaient de se plier aux règles. Le petit peuple les appelait les Renégats. Il y avait aussi, semblait-il, des moines sorciers.

On aimait se raconter, au coin du feu, les *Chroniques de Lur*, qui relataient les aventures de sorciers mythiques. Les Vénérables, comme par hasard, avaient toujours le beau rôle.

Miricaï jouissait d'un statut particulier. D'un côté, les Maîtres semblaient le considérer comme l'un des leurs. D'un autre, ils lui déniaient sa place parmi eux. Qu'était-il au juste ? Tout ce que Finn avait pu entendre sur son père tenait plus de l'affabulation que de la réalité. Quoique… Personne n'en était sûr. Qui, dans le comté, était allé vérifier si Miricaï avait occis un monstre marin ou affronté des dragons du désert ? Qui avait seulement vu un dragon ?

– Tu es curieusement sage, aujourd'hui ! dit une voix moqueuse.

Finn sursauta. Malgosia le regardait en souriant, un pichet de bière à la main.

– Je me réserve pour cette nuit, répondit malicieusement Finn. M'accorderas-tu la première danse ?

– Je l'ai déjà promise à quinze ou vingt jeunes gens plus beaux que toi !

– Plus beaux ? Impossible !

– Quel insupportable prétentieux tu fais !

Mais les yeux de Malgosia riaient. Finn se garda de dire que ce n'était pas la première danse qui l'intéressait. Plutôt la dernière... celle où il pourrait entraîner Malgosia derrière les bosquets d'alisiers pour l'embrasser.

– Le voilà ! Le voilà !

La foule s'agita aux cris enthousiastes des guetteurs. Instinctivement, les femmes réajustèrent leurs vêtements et lissèrent leurs cheveux. Les hommes se redressèrent en essayant, vainement pour certains, d'avoir l'air digne. Les enfants sautèrent des arbres d'où ils guettaient l'arrivée du Vénérable Dystar, le Grand Maître de Lur.

Finn se leva. On n'accueillait pas un tel personnage en restant affalé sous un arbre. D'autant qu'il espérait bien faire bonne impression.

Les notables du comté se pressèrent pour l'accueillir. Il s'ensuivit une bousculade, chacun voulait être le premier à saluer le sorcier. Finn hocha la tête : c'en était fait de la dignité ! Mais il n'y avait guère mieux à espérer de tous ces bouseux. Maître Dystar ne semblait pas s'en formaliser. Il y avait même l'ombre d'un sourire dans sa longue barbe blanche. On lui offrit un siège à la place d'honneur, sous l'immense chêne emblématique de Gobardon.

Olri, le vacher, lui tendit un verre de bière dont il renversa une partie. Olri était fin soûl. Les notables prirent un air consterné. Dystar, stoïquement, essuya sa robe pourpre et refusa poliment la boisson.

Finn se fraya un chemin à travers la foule. Il resta cependant à l'écart, presque humblement. Les notables faisaient la conversation, et c'était pathétique.

– Il fait beau, n'est-ce pas ? Prenez un peu de cette délicieuse limonade. Vous avez marché si longtemps, vous devez être assoiffé ! C'est ma femme qui l'a faite ! Y en a pas de meilleure ! Heu... et la santé, ça va ?

Dystar répondait d'un mot ou deux, toujours amical. Finn se demandait comment il pouvait supporter les bavardages de tous ces pauvres imbéciles. Brusquement, le regard du Vénérable se posa sur lui. Finn eut soudain un coup de chaud. En dépit de son apparente bonhomie, Dystar n'était pas un tendre. On ne devenait pas le Grand Maître de Lur à force de gentillesse. La rumeur prétendait même que Dystar avait éliminé ses opposants en leur jetant un sort. Finn n'y croyait pas mais il était persuadé que le Vénérable n'était pas qu'un maître en sorcellerie. C'était aussi un subtil stratège qui avait su trouver des alliés influents au sein du conseil de Lur. Des ennemis, il en avait sûrement. Seulement personne n'osait l'affronter en face.

Le sorcier fit signe à Finn de s'approcher. Tout le monde retint son souffle. Et dans le silence, Olri entonna un chant paillard qui finit brutalement en un rot monstrueux. Un des notables venait de lui asséner un coup sur la tête avec son pichet de bière. Olri s'effondra par terre.

Dystar continua comme s'il ne s'était aperçu de rien.

– Te voilà presque un homme, si je ne m'abuse…

– Dans cinq jours, Vénérable, répondit Finn en pensant « bientôt quatre » car le soleil disparaissait à l'horizon.

Le Grand Maître se leva et ne parut plus s'intéresser à lui. Il n'était pas venu jusque-là pour participer aux beuveries. La fête du Wex démarrait traditionnellement le cycle d'été. Dystar avait le devoir de lancer quelques incantations magiques au gré du vent. Le vent les emporterait pour ensemencer les champs. Les récoltes étaient ainsi protégées des maladies et des parasites.

Finn écouta attentivement les mots incompréhensibles que marmonnait le Grand Maître. Cela ne dura que quelques instants. Puis Dystar salua les notables qui le remerciaient pour sa précieuse protection. Il n'avait pas l'intention de s'attarder plus longtemps. La route était longue jusqu'à Lur, mais il la ferait dans la douceur de la nuit naissante.

– Alors, à bientôt, Finn, fils de Miricaï, dit le Vénérable sans daigner le regarder.

Il se mit en marche, s'appuyant légèrement sur le long bâton sculpté, symbole de son rang et de sa charge. L'obscurité le fit disparaître. Olri commença à geindre en se frottant le crâne. Ce fut le signal : on se remit à boire et à manger. Puis les musiciens s'accordèrent et les couples se formèrent pour la danse.

Plus tard, bien plus tard, Finn et Malgosia se trouvèrent un bon coin pour s'embrasser en toute tranquillité.

Chapitre 2
Derniers jours de liberté

Le lendemain de la fête du Wex, Finn le passa à dormir. À cause de la bière ou de la nourriture trop riche, son sommeil n'était pas des meilleurs. Il ne cauchemardait pas réellement mais il se sentait troublé. En fin de journée, il se leva, exaspéré par la chaleur moite qui régnait dans sa chambre. Le ciel était chargé et lourd d'un orage qui n'arrivait pas à éclater.

Finn sortit dans l'espoir de trouver un peu de fraîcheur sous les alisiers blancs. Il fut surpris d'apercevoir Malgosia sur le chemin. Elle sembla hésiter puis, brusquement, marcha vers lui d'un pas décidé. Finn flaira les ennuis. Il était trop tard pour se réfugier dans la maison.

– Te voilà enfin ! dit Malgosia.

– Enfin ? s'étonna Finn. Quoi ? Tu m'attends depuis longtemps ?

– Pas du tout ! se récria-t-elle.

Finn n'en crut pas un mot et la regarda, goguenard. Cela ne fut pas du goût de la jeune fille.

– Oh, ne va pas t'imaginer que je me languissais de toi, prétentieux ! Je voulais simplement que nous ayons une conversation sérieuse.

– Ben, « sérieux », ce n'est pas trop dans mes cordes, répliqua Finn, redoutant la suite.

– Je ne te demande pas de m'épouser. Je ne suis pas folle à ce point !

Elle s'assit à ses côtés et contempla un moment le bout de ses mules tressées.

– Je veux juste savoir si tu tiens un peu à moi, finit-elle par dire d'une voix plaintive.

Finn retint un soupir qui risquait d'être mal interprété. Ou trop bien…

– Tu es la seule dans mon cœur, répondit-il prudemment.

– Menteur ! Si ? C'est vrai ?

– Les autres filles ne comptent pas ! affirma Finn, car ça ne l'engageait pas à grand-chose.

– Alors, pourquoi tu veux me quitter ?

– D'où te vient une idée pareille ?

– Tu vas partir et me laisser pendant… pendant des mois, des années peut-être !

Finn comprit brusquement et un immense soulagement le submergea. Il s'appliqua à prendre un air désolé.

– Hélas, s'il ne tenait qu'à moi…

– Mais tu as le choix ! Rien ne t'oblige à…

– Comment, comment ? la coupa Finn, sévèrement. Tu ne sais plus ce que tu dis ! J'ai des obligations ! Envers le comté et envers les Vénérables Maîtres ! Quand on a un don comme le mien, on n'a pas le droit de lui tourner le dos ! Mon devoir est de devenir sorcier et de protéger le comté et tous ses habitants. Je n'y puis rien… Je dois accomplir mon destin.

– Les Vénérables de Lur sont tous célibataires, geignit Malgosia.

– Ils sont tous vieux, aussi ! ricana Finn. Allons, voyons ! Tous les sorciers ne s'enferment pas dans la forteresse ! Beaucoup mènent un autre genre de vie.

– Les Renégats ! C'est ça que tu veux être ? Parcourir le monde et séduire les filles… Oh, pardon ! Je ne pensais pas à ta mère…

– Mon père n'est pas un Renégat, rétorqua Finn. Et je crois qu'il a choisi ma mère pour qu'elle lui donne une descendance. Je suis sûr qu'il reviendra. Oui, un jour, lorsque je serai moi-même devenu un grand sorcier. Alors, il pourra s'établir puisque je prendrai la relève.

– Oh, bah, merci ! protesta Malgosia. C'est ça, l'avenir que tu espères pour nous deux ? Tu attends de moi que je porte ton enfant et que je patiente jusqu'à ce que tu prennes ta retraite ?

– Je ne peux rien exiger de toi, répondit Finn en feignant la tristesse.

Malgosia se leva d'un bond, furieuse.

– Tu me prends pour une idiote ! Tu essaies de m'embobiner avec de belles paroles ! Va donc « accomplir ton destin » ! Et je souhaite vraiment qu'il soit le plus pourri possible !

Finn ne chercha ni à la démentir ni à la retenir. Il était satisfait de se débarrasser d'elle sans trop de casse, finalement. C'était, en tout cas, sa façon de voir les choses. Il croisa les bras sous sa tête, bâilla en regardant le dessous des feuilles et s'endormit paisiblement.

Malgosia pleurait en courant sur le chemin, mais il n'en avait cure.

*
* *

Finn eut un vague remords le matin suivant. La raison était, d'ailleurs, parfaitement égoïste. Il ne lui restait que trois jours de liberté et il les aurait bien passés à fricoter avec Malgosia. Il était d'une paresse telle qu'il n'avait même pas le courage de faire amende honorable. C'était un des trucs énervants avec les filles : elles adoraient qu'on leur présente des excuses. Mais plus il y pensait, plus Finn se persuadait que c'était à Malgosia de s'excuser. Enfin, tout de même, ce n'était qu'une paysanne ! Dire qu'elle avait osé lui demander de renoncer à son grandiose avenir pour ses beaux yeux !

Finn ruminait en finissant le bouquet de carottes sur sa broderie. Les nuages noirs stagnaient toujours au-dessus du comté sans crever ni partir. Un peu d'eau n'aurait pourtant pas fait de mal à la terre desséchée. Pourquoi les Maîtres Sorciers ne faisaient-ils pas pleuvoir ? Le Vénérable Dystar était venu faire ses incantations du cycle d'été et puis quoi ? Ce n'était rien d'autre que du spectacle, et pas des plus extraordinaires. Quatre phrases de bla-bla incompréhensible, un petit tour et puis s'en va.

Finn reposa sa toile dans le panier et observa le ciel plombé, rêveusement. Personne ne semblait jamais mettre en doute les talents des Vénérables. Mais quand avait-on assisté à une véritable démonstration de magie ? Qu'avaient-ils fait lorsque la grêle s'était abattue sur les récoltes, l'année passée ? Où étaient-ils lors des inondations qui avaient ravagé le sud du comté, l'hiver dernier ? Et lors de l'épidémie de fièvre des marais, n'avaient-ils pas laissé mourir les gens ? Cela remontait à loin mais c'était encore dans toutes les mémoires. Dystar ne s'était pas donné la peine de se déplacer. Finn se souvenait d'un autre Vénérable, très vieux, un Maître Herboriste. Il était venu avec ses sacs de tisanes et de graines. Il avait visité tous les malades. Le résultat fut des plus étonnants : le vieillard contracta la fièvre et il en mourut ! Au moins, celui-là avait essayé de leur venir en aide. En dépit de l'absence de résultats, les habitants gardaient toute confiance dans les Vénérables. C'était perturbant. Les Maîtres Sorciers avaient-ils de quelconques pouvoirs ? Et si c'était le cas, pourquoi ne s'en servaient-ils pas ?

– Encore à flemmarder !

Finn se retourna brusquement. Duratte l'observait, les sourcils toujours froncés dès qu'il s'adressait à lui.

– Je réfléchis, moi, répliqua Finn.

– À quoi un fainéant de ton espèce peut-il bien penser ? ricana Duratte. À l'heure de son dîner ?

– Pas encore. Mais puisque vous êtes là... Vous

avez peut-être des réponses à mes questions. Le privilège de l'âge.

– Traite-moi de sénile pendant que tu y es, malotru !

Malgré tout, Duratte s'approcha et s'assit sur un rocher en grimaçant.

– Toujours vos rhumatismes ? supposa Finn, en retenant un sourire.

– Alors, ces questions ? demanda Duratte férocement.

Finn hésita brièvement, puis lui fit part de ses réflexions. Duratte l'écouta en silence, curieusement attentif. Finn s'attendait à de nouvelles réprimandes et fut bien surpris lorsque le maître d'école prit finalement la parole.

– En effet, tu es capable de penser... remarqua-t-il en hochant la tête. Ce n'est pas à moi de t'apporter des réponses. C'est aux Vénérables de le faire. Je peux tout de même de te dire ceci : il n'est pas du ressort des sorciers de changer l'ordre des choses.

– Je ne comprends pas.

– Il existe des dangers plus grands et plus mystérieux qu'une pluie diluvienne ou une méchante fièvre. C'est de ceux-là que les Vénérables se chargent. Quant aux tracas de la vie ordinaire, ils ne s'en préoccupent pas. Nous devons faire avec.

– Alors, la cérémonie du Wex, ça ne sert à rien ?

– Je suis certain que les incantations de protection sont véritables. Mais sont-elles efficaces ? Admets-le, nos champs d'épeautre sont rarement attaqués par les insectes. Et il y a des lustres que les maladies épargnent nos arbres fruitiers.

– Mais… je n'ai jamais entendu parler de ces dangers si terribles dont les Vénérables nous gardent !

– C'est bien la preuve !

– Hein ? La preuve de quoi ?

– De la puissance des Maîtres Sorciers ! Nous ignorons même ce qui nous menace !

Duratte semblait si sûr que Finn évita d'exprimer ses doutes.

– Tu ne connais rien des forêts septentrionales, elles existent pourtant, continua Duratte. Ce n'est pas parce que tu n'as jamais vu un sorcier se battre contre un dragon qu'il ne l'a pas fait ! Mais bientôt, tu en sauras beaucoup plus que moi…

À ces mots, Finn bomba le torse inconsciemment. Il se sentait important, et cela n'échappa pas à Duratte.

– Ne crois pas qu'il soit facile d'être un sorcier! Surtout pour un fainéant comme toi!

Finn perçut une amicale moquerie derrière l'habituel reproche. Il sourit et lui promit d'être moins paresseux à l'avenir. Duratte sourit en retour. Finn n'allait pas tarder à découvrir ce qu'étaient l'étude et le travail. Les Maîtres Sorciers lui mèneraient la vie dure. Mais Duratte ne lui dit rien car c'était plus drôle comme ça.

*
* *

Le dernier jour avant l'anniversaire de Finn fut un cauchemar. Loudana pleurait sans cesse. Quand, par miracle, elle arrêtait, c'était pour mieux gémir et se lamenter. Finn faisait ses bagages en serrant les dents pour ne pas l'envoyer paître. Il avait presque hâte d'être au lendemain pour avoir la paix. Pourtant, plus l'heure de partir approchait, plus il s'inquiétait. Il n'avait jamais quitté la maison, il n'était jamais allé plus loin que les champs de céréales. Il ne savait même pas à quoi ressemblait la forteresse de Lur. Personne, dans le village, ne l'avait vue, et les histoires les plus fantaisistes couraient sur son compte. Certains prétendaient que les douves étaient remplies de serpents. D'autres, que les murs étaient si hauts qu'ils touchaient le ciel. Tout le monde était d'accord pour affirmer qu'un enchantement la défendait contre les intrus.

– Que vais-je devenir sans toi ? geignit Loudana. Et si les loups venaient jusqu'ici ? Et les voleurs ?

– Les loups ? Il n'y en a pas ici ! rétorqua Finn. Qui a déjà été volé dans le comté ?

– Mais ça pourrait arriver !

– Justement non, répondit Finn malicieusement. Les Maîtres Sorciers empêchent ces sortes de choses de nous arriver. Et quand je serai moi-même l'un d'entre eux, je pourrai mieux te protéger !

– Tu ne reviendras jamais ! Tu iras de par le monde et tu oublieras ta pauvre mère ! Avec tout ce que j'ai fait pour toi ! Ingrat !

– Ah, ça suffit ! explosa Finn en devenant écarlate. Tu savais parfaitement qu'un jour je devrais te quitter ! Si tu voulais tant que ça que je reste à la maison, tu n'avais qu'à garder pour toi le nom de mon père ! Ne viens pas te plaindre, maintenant !

Loudana baissa les yeux et soupira.

– J'étais seule et enceinte… Si je n'avais rien dit, nous n'aurions pas eu la vie facile. Les gens ne sont pas si gentils que ça dans le village.

Finn regretta de lui avoir parlé sur ce ton. Il

entoura les épaules de Loudana dans un louable effort de tendresse.

– Je ne t'oublierai pas, maman... Et je n'ai pas si envie que ça de m'en aller. Mais il le faut. Le Vénérable Dystar lui-même m'attend!

Loudana s'effondra en pleurs dans les bras de son fils. Finn sentit les larmes mouiller sa chemise. Il se retint pour ne pas repousser sa mère. Cependant, quand elle renifla bruyamment, Finn l'écarta d'un air dégoûté.

– Désolée... marmonna Loudana en s'essuyant le nez d'un revers de la main.

Désireux de changer de sujet, Finn lui demanda une besace pour ranger sa toile de broderie et ses fils de coton. Le panier était encombrant et ne faisait pas trop viril, il fallait bien l'avouer...

Cette nuit-là, Finn ne dormit pas. La chaleur orageuse ne facilitait pas le sommeil. Les sanglots de Loudana, de l'autre côté du mur, n'aidaient pas non plus. Mais surtout, l'appréhension du départ et la peur de l'inconnu le maintenaient éveillé. Il songeait à tout ce qu'il devait laisser derrière lui. Malgosia et l'espiègle Quintus, le vieux Duratte même, tous ses amis du comté allaient cruellement lui manquer. Regarder l'eau de la rivière couler, les doigts de pieds en éventail… Manger une poularde rôtie, à l'ombre des arbres en fleurs… Et ne rien faire toute la journée…

Il rejeta le drap de lin épais, irrité par sa transpiration. Puis il lui vint une pensée dérangeante : et si les lits n'étaient pas confortables à la forteresse ?

*
* *

Loudana se leva à l'aube pour préparer un bon repas. Après tout, c'était l'anniversaire de son fils. Elle avait cuit, la veille, un gros pain pour le voyage. Elle en coupa un morceau pour accompagner le fromage de chèvre. Puis elle fit cuire quelques saucisses de volaille. L'odeur tira Finn hors de sa chambre.

– Te voilà un homme, dit Loudana.

Elle essayait de faire bonne figure. Mais ce qu'elle voyait, c'était son petit garçon, pas un homme ! Elle se concentra sur la cuisson des saucisses pour ne pas pleurer.

Ils mangèrent en silence. Le ciel s'était enfin éclairci. La journée serait belle.

– Il ne faut pas que je traîne, déclara Finn brusquement. Il va sans doute faire très chaud aujourd'hui. J'ai intérêt à marcher avant que le soleil ne soit trop haut.

– Et si tu te perds ? gémit Loudana.

– Voyons, ce n'est pas possible ! Il suffit de suivre le chemin qui traverse les champs, tout le monde sait ça !

– Mais peut-être que tout le monde se trompe… pleurnicha-t-elle.

Finn frotta son front d'un geste las. Il n'avait aucune envie de subir à nouveau les jérémiades de sa mère. Il se leva de table et retourna dans sa chambre récupérer ses affaires. Lorsqu'il revint dans la grande pièce, Loudana enveloppait la miche de pain dans un linge. Finn alla au puits remplir une gourde d'eau. Un oiseau chantait dans les alisiers blancs. Finn soupira.

Puis il dit adieu à son ancienne vie et au revoir à sa mère éplorée. Le cœur lourd, il s'engagea sur le chemin qui devait le mener vers son destin.

Chapitre 3
La forteresse de Lur

Finn regarda les champs d'épeautre. Les épis étaient bien serrés. Ils étaient encore bas et jaunissaient déjà. Ce n'était pas bon signe. Si la sécheresse perdurait, la récolte risquait d'être maigre. Mais l'épeautre était une plante robuste, s'accommodant de la terre pauvre du nord du comté d'Anabé. Un peu de pluie lui suffirait pour reprendre sa croissance.

Puis, soudain, il n'y eut plus de champs cultivés. Finn était arrivé à la limite du monde qu'il connaissait. Au loin, le chemin tournait et montait à l'assaut des petites collines céruléennes. La brume de chaleur bougeait par nappes comme un brouillard. C'était une vision étrange, et Finn s'arrêta pour l'observer. La brume dessinait des palais bleutés qui s'érigeaient en une seconde pour s'effondrer à la suivante. Finn pensa à un enchantement. Mais sans doute n'était-ce là qu'un phénomène parfaitement naturel, une sorte de mirage.

Finn reprit sa marche, de plus en plus accablé par la férocité du soleil. La forteresse était quelque part dans les collines. Du moins l'espérait-il... Vers midi, il s'assit à l'ombre d'un vieil amandier décati pour manger un peu de pain et se désaltérer. C'était le seul arbre à des kilomètres à la ronde, et on pouvait se demander comment il avait pu survivre dans ce milieu hostile. Quelques fruits veloutés pendaient au bout des branches. Par curiosité, Finn en cueillit un qui se désagrégea au toucher. Finn contempla le petit tas de poussière dans le creux de sa main. Il y trouva une minuscule amande toute dure. Une légende du comté lui revint en mémoire. Elle relatait l'histoire d'un roi sans nom dont le royaume avait été ensorcelé : rien ne pouvait plus y pousser et les gens mouraient de faim. Un cerisier avait pourtant résisté dans le jardin du roi mais il ne donna qu'un seul fruit. Le roi était dévoré par l'envie de croquer cette belle cerise rouge et juteuse. Puis il songea tristement à tous ses sujets qui n'avaient rien à manger. Il était leur roi et se devait de partager leur infortune. Alors il avait jeté le fruit au loin sans y goûter. Le jour suivant, son domaine était couvert de magnifiques cerisiers. Il avait conjuré le mauvais sort. On racontait cette édifiante histoire aux enfants pour leur apprendre la compassion et le sens du sacrifice.

Finn se leva, prit son élan et lança l'amande de toutes ses forces.

– Plante-toi dans ce sol ingrat, pousse et fleuris ! C'est moi, Finn, fils de Miricaï le Grand, qui te l'ordonne !

Sa voix roula sur la plaine comme le tonnerre. C'était du meilleur effet. Dommage qu'il ne fût pas encore sorcier ! Mais Finn était content de lui et il repartit gaillardement vers les collines arides.

Puis son pas ralentit. Comment le Vénérable Dystar pouvait-il faire l'aller-retour à pied jusqu'à Gobardon pour la fête du Wex ? Si les Maîtres Sorciers n'avaient qu'un seul pouvoir, ce devait être celui de l'endurance ! Là était, peut-être, la preuve que Finn cherchait. Aucun homme ordinaire de l'âge de Dystar n'aurait pu parcourir une telle distance en un jour. Et en temps de canicule, en plus ! Puis il vint à Finn une pensée beaucoup plus perturbante : et s'il s'était trompé de chemin ? Et s'il avait dépassé la forteresse sans la voir ?

Il fit un tour complet sur lui-même. Non. Impossible de rater même la moindre cabane dans cette étendue désolée. Lur était là-bas dans les hauteurs. Il ne pouvait pas encore l'apercevoir, tout simplement.

L'eau diminuait dans sa gourde d'une manière inquiétante. La peau de Finn était sèche car la transpiration s'évaporait instantanément. Il peinait sur le chemin rocailleux qui montait désormais le long de la colline. Plus d'une fois, il dérapa sur les cailloux. Il dut se concentrer pour ne pas tomber. Soudain, le sentier commença à descendre. Finn était arrivé au sommet.

Saisi par la surprise, il en laissa choir ses besaces. Adossée au flanc de la colline suivante, se dressait la monstrueuse masse de la forteresse de Lur. Finn en resta bouche bée. Jamais il n'aurait pu imaginer une telle construction. Les rayons du soleil l'éclairaient de pleine face, embrasant d'ocre les murs de pierre. On devinait une multitude de fenêtres barrées de fer. Le corps central était flanqué de deux énormes tours carrées. Un chemin de ronde courait tout le long de la bâtisse. Il n'y avait pas de douves. Elles auraient été bien inutiles : la forteresse était perchée au-dessus d'un précipice. On ne pouvait accéder à la porte monumentale que par un long et étroit pont de bois qui enjambait le ravin.

Finn repartit, de nouveau confiant. Le chemin semblait moins escarpé de ce côté. Il parcourut la distance jusqu'au pont plus rapidement qu'il ne l'aurait cru. Mais il s'arrêta avant de s'y engager. C'était un véritable gouffre qu'il fallait passer. Finn ne savait pas ce qu'était le vertige et il ne comprit pas ce qu'il ressentait. Il pensa que c'était la faim qui lui tournait la tête. Il agrippa fermement la rambarde et, instinctivement, prit une grande inspiration. Ses jambes flageolaient, mais il avança. Les planches craquèrent sous ses mules de corde. La traversée lui parut affreusement longue. Dès qu'il fut au pied de la forteresse, il leva les yeux et hoqueta. Il avait l'impression qu'elle tombait sur lui. C'était, bien sûr, une illusion d'optique due au gigantisme de la bâtisse.

– Eh bien, tu vas rester planté là longtemps ?

Finn sursauta. Il n'avait pas entendu la porte s'ouvrir, ou plus exactement la petite porte aménagée dans la grande. Le Vénérable qui se tenait dans l'encadrement était beaucoup plus jeune que Dystar. Il n'était jamais venu à l'idée de Finn que les Maîtres Sorciers fussent autre chose que des vieillards.

– Je… Excusez-moi, Vénérable. Mais la forteresse est tellement étonnante !

– Oui, oui… Mais entre vite !

Le sorcier jetait des regards inquiets tout autour de lui. Finn trouva ça curieux. Que pouvait-il bien redouter ? Finn s'empressa d'obéir à l'ordre. Il se retrouva dans la fraîcheur bienfaisante des murs épais. Le Vénérable verrouilla derrière lui à l'aide de grosses barres de métal. Finn l'observa à la dérobée. Le sorcier était légèrement difforme, comme si une de ses jambes était plus courte que l'autre. Il était plutôt maigre mais son visage était rondelet et d'une couleur violacée. Son nez était énorme, plus large que long. Ses petits yeux se perdaient dans des mèches de cheveux noirs et embroussaillés.

– Je suis Froideneige, dit le Vénérable. Je suis le Maître Herboriste. Habitue-toi rapidement à ma tête, tu n'as pas fini de la voir !

Froideneige lui indiqua un escalier sur sa gauche.

– Celui-là conduit à la bibliothèque, expliqua-t-il. L'escalier central mène au réfectoire, aux salles d'études et aux chambres.

Finn se tourna vers la droite et pointa le doigt.

– Et celui-ci ?

– Celui-ci, tu n'y vas pas, répondit rudement Froideneige.

– Pourquoi ?

– Et tu ne poses pas de questions à son sujet. Suis-moi. Tu es attendu à l'étude.

– À l'étude ? protesta Finn. Je viens juste d'arriver ! Je voudrais bien manger et me reposer !

Le Maître Herboriste posa un regard sévère sur le jeune homme.

– Il va falloir que tu apprennes à respecter tes Maîtres ! On ne s'adresse pas à eux sur ce ton ! Et, crois-moi, beaucoup ici ne sont pas aussi bienveillants que moi !

– Je suis désolé, bredouilla Finn en rougissant. Mais la route a été difficile et je suis épuisé.

– Soit... Mais si tu prenais le temps d'écouter au lieu de parler à tort et à travers, j'aurais pu finir ce que je disais. On t'attend, donc... Il y a des règles que tu dois connaître dès à présent. Et puis tu vas rencontrer les apprentis comme toi.

Apprentis... Finn n'avait jamais pensé qu'il ne serait qu'un élève parmi d'autres. En montant les marches derrière Froideneige, Finn se sentit découragé. Duratte l'avait prévenu pourtant. Les choses n'allaient pas être faciles.

L'escalier débouchait sur un couloir interminable. Au moins quarante fenêtres l'éclairaient. Finn jeta un œil par l'une d'elles.

– Mais il y a un jardin ! s'exclama-t-il.

Froideneige se retourna et sourit enfin.

– C'est mon domaine ! Tu y passeras beaucoup d'heures en ma compagnie.

Finn, qui redoutait de rester enfermé toute la journée, fut fort heureux de la nouvelle. Froideneige poussa une lourde porte en bois et invita Finn à le suivre. La pièce était de dimension modeste et n'était meublée que d'une seule grande table encadrée par des bancs et un fauteuil sculpté. Il y avait deux jeunes gens assis, et un Maître occupait le trône. Sur la table, il y avait quantité de gros livres épais, pour la plupart ouverts.

– Voici le Maître Enseignant Islip, annonça Froideneige. Et nos apprentis Chéramie et…

– Fouk'hasma T'Noor, compléta l'étudiant concerné, d'un air ennuyé.

– Hum, c'est ça. Voilà Finn.

Finn s'inclina devant Islip et ignora les apprentis qui le dévisageaient. Chéramie semblait n'avoir que douze ou treize ans. Son visage poupin arborait en permanence une expression ravie quelque peu stupide. L'autre avait un physique aussi étrange que son nom. Sa peau était d'un terne noir verdâtre qui faisait ressortir d'une manière dramatique ses yeux d'un bleu profond. Ses cheveux bruns et lisses descendaient jusqu'à la taille.

– Je vous laisse, maintenant, dit Froideneige. Je dois arroser le potager.

Finn le remercia poliment. Il avait retenu sa première leçon : on s'adresse aux Maîtres avec respect.

– Bien, fit Islip d'une voix puissante. Assieds-toi.

Finn posa ses besaces par terre et s'installa à côté de Chéramie. Islip l'informa qu'il devrait lui parler fort car il était sourd d'une oreille. Islip, au moins, était conforme à l'idée que se faisait Finn des Vénérables. Il paraissait même si vieux qu'on s'attendait à le voir expirer d'une seconde à l'autre.

– Règle numéro un : on se lève tous les matins à cinq heures. Deux : on se rend au réfectoire et on déjeune copieusement. Ici, on ne mange pas à midi. Trois... ça dépend du Vénérable Froideneige. Après, ça dépend de moi. Mais en général, nous étudions tout l'après-midi. Deux règles absolues et immuables : on ne va pas dans la tour d'Est et on ne dérange pas les Vénérables autres que moi et Froideneige. Il y a assez peu de chances que vous les croisiez, mais ça peut arriver. Des questions, apprenti Finn ?

Finn n'avait retenu que deux choses : l'heure du réveil et le fait qu'on ne mangeait pas en milieu de journée.

– Et le dîner ? demanda-t-il.

Islip fronça les sourcils. Il ne s'attendait pas à ce que ce nouvel étudiant se préoccupât d'abord de ses repas !

– Il existe, répondit-il consterné.

– Hélas... murmura Fouk'hasma T'Noor, sans bouger les lèvres.

– Pas d'autres questions ? insista Islip, qui n'avait rien entendu.

Finn contempla les livres ouverts avec inquiétude et pointa le doigt.

– Ben... En quelle langue sont-ils écrits ?

– Dans la nôtre, évidemment !

– Mais... vous voulez dire : dans le langage secret des sorciers ?

– Quoi ? Pas du tout ! Tu... Non ?

Le Maître regarda Finn, de plus en plus atterré.

– Tu ne sais pas lire ?

Fouk'hasma T'Noor eut une espèce de reniflement méprisant. Finn comprit qu'ils ne deviendraient pas les meilleurs copains du monde. Il se tourna vers Chéramie, qui l'encouragea d'un sourire un peu désolé.

– Si, répondit Finn, honteux et furieux de l'être. Mais pas très bien...

Le Vénérable passa la paume de sa main sur son visage d'un air accablé.

– Bon... soupira-t-il. Alors il faudra aussi que tu travailles le soir.

La mine déconfite de Finn arracha un petit rire à Fouk'hasma T'Noor. Finn avait la rancune tenace et il se promit de se venger de lui à la première occasion.

Islip autorisa Finn à se coucher en même temps que les autres, pour cette nuit uniquement. L'après-midi tirant à sa fin, le Vénérable les renvoya de l'étude. Chéramie fut chargé de conduire Finn dans sa chambre, à l'étage supérieur.

– Je suis là, dit Chéramie en indiquant une porte. Voilà, c'est chez toi.

Finn entra dans la petite cellule à la fenêtre barrée de fer. Le lit était une simple paillasse recouverte d'une couverture. Il y avait un coffre pour ranger ses affaires, une table et un tabouret. Ça avait tout d'une prison.

– En été, ça va, mais en hiver, il fait très froid. J'espère que tu aimes les légumes.

– Pourquoi ? demanda Finn.

– Parce que les Vénérables sont végétariens. Alors nous aussi !

– Tu es ici depuis longtemps ?

– Oh… depuis l'automne dernier.

– Tant que ça ! s'écria Finn, alarmé.

– Qu'est-ce que tu croyais ? s'étonna Chéramie. Il faut de nombreuses années d'études avant de devenir un sorcier !

– Quand on n'est pas doué, peut-être, ricana Finn.

Chéramie n'était pas si bête qu'il le paraissait et il n'apprécia pas le sous-entendu.

– Au moins, moi, je sais lire. Ça me fait gagner du temps.

– Pardon, s'excusa Finn. Je ne voulais pas te vexer. C'est juste que tout ça… Il faut que je m'habitue. D'où viens-tu ?

– Du comté de Damalone. Et toi ?

– D'Anabé. Damalone ? Où est-ce ?

– Un peu au sud. Fouk vient de la baronnie de T'Noor. C'est au bord de la mer. C'est très très loin d'ici.

Chéramie vérifia qu'il n'y avait personne dans le couloir et poursuivit sur un ton confidentiel.

– Fouk est de la famille du baron de T'Noor.

– Et alors ? demanda Finn.

– Ben… c'est quelqu'un d'important. Une longue lignée de sorciers. En tout cas, c'est ce que Fouk prétend !

– Et moi, je suis le fils de Miricaï, répondit Finn en gonflant le torse.

– Ah ! fit Chéramie. Et c'est qui ?

Finn le regarda avec stupeur.

– Quoi ? Tu n'as jamais entendu parler de Miricaï le Grand ? Mais qu'est-ce qu'on enseigne, ici ?

– Oh là là ! Il faut apprendre par cœur les *Chroniques de Lur*, l'histoire et les lois des Vénérables Sorciers depuis quatre siècles. Il faut aussi retenir le nom de toutes les plantes médicinales et comment on fait les tisanes.

– Où est la magie, là-dedans ?

– Ben… c'est après. Dans trois ou quatre ans, je crois qu'on commence les incantations de protection. C'est les plus faciles.

Le visage de Finn se décomposa. Il s'écroula sur la paillasse, prêt à fondre en larmes. Dire qu'il avait laissé sa mère, ses amis, la belle Malgosia et les cuisses de poularde pour une sinistre cellule et un régime de légumes ! Et ça, pour des années...

– Ce n'est pas possible, bégaya-t-il. Je ne tiendrai pas...

– C'est la première loi des Sorciers, dit Chéramie d'un ton guilleret. *« Patient tu seras. »*

Finn eut envie de lui taper dessus. Il ne le fit pas car il était évident que le jeune garçon serait son seul soutien dans ces lieux.

– C'est quoi, la deuxième ? s'enquit-il.

– *« Plus patient encore tu seras. »*

Finn renonça à demander quelle était la troisième loi. À parier que c'était : *« Et davantage de patience tu auras ! »*

Chapitre 4
Dur apprentissage

Finn s'était à peine endormi que Chéramie frappait à sa porte. Il fallait déjà se lever ! Maussade, Finn le suivit jusqu'au réfectoire. Un serviteur muet lui servit un infâme brouet tiède qui collait à la cuillère.

– Il faut tenir toute la journée avec ça dans le ventre ? s'exclama Finn.

– Tu peux toujours abandonner et rentrer chez toi, répondit Fouk'hasma T'Noor.

Finn considéra la proposition. S'il s'en allait, comment réagiraient les habitants du comté ? C'en serait fini de la belle vie. On leur ferait peut-être même payer cher toutes ces années où on les avait entretenus, lui et sa mère. Ils devraient sans doute travailler pour se nourrir. Finn soupira. Il ne pouvait pas laisser tomber.

Le Maître Herboriste ne tarda pas à se présenter. Il était de très bonne humeur. Le moral de Finn remonta un peu. Au moins, il passerait la matinée dehors.

Le soleil n'éclairait pas le jardin avant midi. La température était encore basse, et Finn frissonna. Froideneige leur demanda de biner les plates-bandes et d'arracher les mauvaises herbes. L'activité réchauffa Finn. Il prit même du plaisir à ce dur labeur. Il posait souvent des questions à Froideneige. Celui-ci appréciait l'intérêt que portait son jeune apprenti aux plantes. En effet, les deux autres n'aimaient pas se salir les mains. Fouk, surtout, arborait une expression dégoûtée dès qu'il touchait la terre humide.

– Tu te débrouilles bien, Finn, remarqua Froideneige. Tu deviendras peut-être Maître Herboriste à ton tour!

Finn opina pour éviter de répondre. Il avait de plus grandes ambitions en tête mais il était suffisamment malin pour ne pas contredire Froideneige. Il avait un allié potentiel à sa portée, il n'avait pas l'intention de tout gâcher.

– Forcément, c'est un paysan... murmura Fouk.

Finn ne se donna pas la peine de répliquer. Froideneige, contrairement à Islip, n'était pas sourd. Le visage déjà congestionné du Vénérable vira au cramoisi. Finn découvrit à cette occasion que l'herboriste était colérique et possédait un vocabulaire très peu digne de son honorable rang.

– Espèce de petit crétin prétentieux ! Tu crois que, parce que tu as été élevé dans la soie, tu vaux mieux que les autres ? Va donc à l'écurie ramasser les crottins des mulets. Mon potager a besoin d'engrais. Ça te fera du bien de tripoter la merde !

Fouk lui lança un regard haineux mais s'empressa d'obtempérer. Par prudence, Finn se retint de rire. Toujours furieux, Froideneige envoya un Chéramie terrorisé déterrer des panais. Puis, seul avec Finn, il se calma et sourit.

– Suis-moi dans le carré des simples, dit-il. Tu dois rattraper ton retard.

Froideneige lui fit cueillir de l'euphraise pour soigner les yeux larmoyants du Maître Bibliothécaire. Le pauvre homme s'usait la vue à archiver de précieux documents dans une pièce perpétuellement dans la pénombre. Il fallait, en effet, garder les volets clos pour ne pas abîmer des parchemins centenaires. Puis Froideneige lui expliqua les nombreuses vertus du millepertuis, de l'ortie et de la sauge. Finn s'aperçut qu'il avait une excellente mémoire et qu'il retenait facilement les enseignements de l'herboriste. Il en regretta presque de ne pas avoir fréquenté davantage l'école de Duratte. Il s'en désola vraiment lorsqu'il se retrouva face à Maître Islip.

L'après-midi fut d'un ennui profond. Il fallait lire des pages et des pages dans le silence le plus complet. Chéramie bâillait continuellement. Fouk, de toute évidence, faisait semblant d'apprendre par cœur et rêvassait. Finn, le doigt sur les lignes, essayait péniblement de déchiffrer les *Chroniques de Lur*. Il ne comprenait rien de ce qu'il lisait. Il ne pensait qu'à son estomac vide. Enfin, Islip leur donna l'autorisation d'aller dîner. Finn se dépêcha de se lever dans l'espoir d'échapper à l'étude du soir. Hélas, Islip n'avait pas oublié et il lui rappela qu'il devait revenir.

Les panais ramassés par Chéramie se retrouvèrent dans leur assiette, agrémentés de pain et de fromage sec. Finn observait le domestique au regard fuyant et toujours aussi muet. Il le trouvait un peu inquiétant. Il profita de son absence pour interroger Chéramie à son sujet. Mais il n'en tira pas grand-chose. Apparemment, il y avait trois ou quatre serviteurs dans la forteresse. Il était difficile de savoir leur nombre exact. Ils s'occupaient surtout de la cuisine et des mulets. Mais il y en avait peut-être d'autres pour assister les Maîtres.

– Les Vénérables ne mangent pas en même temps que nous, constata Finn.

– Je crois qu'ils prennent leurs repas dans leurs cellules, répondit Chéramie.

– Mais où sont-ils ?

– Ils restent au dernier étage.

– Qu'est-ce que t'en sais ? ricana Fouk. T'es pas allé vérifier !

– Ils doivent bien être quelque part, pourtant ! rétorqua le jeune garçon.

– Et dans la tour d'Est ? suggéra Finn.

– Ah, ça non ! affirma Chéramie. Personne ne vit là-dedans !

– Tu es bien sûr de toi, dit Fouk. Moi, ce que je pense, c'est qu'il n'y a pas de Vénérables du tout et c'est pour ça qu'on ne les rencontre jamais !

– Quelle bêtise ! dit Chéramie. Islip et Froideneige existent bien, non ?

– Et Dystar, ajouta Finn. Je l'ai vu souvent dans le comté.

– Trois ! répondit Fouk. Trois Vénérables en tout et pour tout !

– Et le Maître Bibliothécaire. Celui qui a mal aux yeux ?

– Aussi invisible que les autres !

Puis Fouk baissa brusquement la voix. Instinctivement, Finn se pencha en avant pour l'entendre.

– On nous ment… murmura Fouk. Les Vénérables sont de plus en plus vieux et de moins en moins nombreux. Et ils n'ont pas autant de pouvoirs qu'ils voudraient le faire croire… Il y a des sorciers dans ma famille depuis des générations. Eh ben… je ne les ai jamais vus faire quoi que ce soit de remarquable !

– Les Maîtres Herboristes fabriquent des tisanes et des onguents, protesta Chéramie.

– Les vieilles femmes aussi ! À votre avis, pourquoi doit-on étudier toutes ces choses sans aucun intérêt pendant des années et des années ? Ils espèrent nous décourager. Voilà la vérité.

Finn était troublé. Fouk se posait les mêmes questions que lui. Leur conversation fut interrompue par le retour du serviteur muet. Finn le remercia dans l'espoir d'une réaction quelconque de sa part. Il n'obtint même pas un signe de tête.

Fouk et Chéramie abandonnèrent Finn et montèrent dans leurs chambres. Les couloirs déserts et silencieux sombraient lentement dans l'obscurité. Finn ne se sentait pas très à son aise. Il fut dépité de ne pas retrouver Islip dans la salle. On avait allumé un chandelier à cinq branches à son intention. Les gros livres étaient fermés et empilés. Finn ignorait ce qu'on attendait de lui. Était-il supposé travailler tout seul ? S'il n'y avait personne pour le surveiller, il pouvait aller se coucher ! Il reprit les *Chroniques de Lur.* Il profita de sa solitude pour s'essayer à la lecture à haute voix.

– Le… le Vénérable Ca… non, Cau, Caumonas bra-bran-dit… son bâton… vers… le ci, ci-el et lanca, non, lança une ma-lé-di… hein ? Ah, oui, malédiction ! Quoi ? Il y a quelqu'un ?

Finn sursauta et se retourna brusquement. Il était sûr d'avoir entendu un bruit. Il observa tous les recoins de la pièce. Il n'y avait rien de particulier. Peut-être un coup de vent ? Il se leva et marcha jusqu'à la fenêtre. Il l'ouvrit et se pencha autant que les barreaux le lui permettaient. La nuit n'était pas encore très noire. Finn tourna la tête vers la tour d'Est. Il lui sembla apercevoir une lueur filtrant par une de ses étroites meurtrières. Qu'y avait-il là-bas ?

L'air était doux et Finn respira profondément. À regret, il regagna le banc et recommença à lire.

Les aventures du Vénérable Caumonas étaient mouvementées et hautement spectaculaires. Il avait passé son existence à occire des dragons, tuer de terribles créatures marines et traverser des contrées dangereuses. La vie des sorciers semblait bien fatigante...

Finn jeta un œil sur l'histoire et les lois des Vénérables. Rien sur Miricaï. Mais, dans tous ces ouvrages, il ne s'agissait que de sorciers... morts. Ou imaginaires?

Il n'avait aucune idée de l'heure mais il se sentait engourdi par la lassitude. Et puis il avait l'impression d'avoir beaucoup travaillé. Il bâilla, s'étira et prit le chandelier.

Un petit panneau de bois se referma dans le mur en glissant. Finn sortit sans savoir qu'on l'avait observé.

*
* *

Les journées s'écoulaient, identiques. Finn faisait des progrès en lecture, mais Islip restait intransigeant: il devait continuer de s'exercer tous les soirs. Chéramie se révélait un bon camarade et, étonnamment, Fouk'hasma T'Noor aussi. Finn appréciait de plus en plus l'étude des plantes médicinales. Là, au moins, il apprenait quelque chose d'utile. Les trois garçons profitaient des repas pour discuter. Ils le faisaient à mi-voix, se méfiant du serviteur muet. Chéramie parlait de son pays avec nostalgie. On devinait que l'éloignement lui pesait. Fouk vantait la magnificence de sa maison natale, la beauté des bords de mer et la supérieure intelligence des membres de sa famille. C'était un peu énervant mais Fouk les faisait souvent rire. Et, dès qu'ils étaient sûrs que le serviteur était retourné dans sa cuisine, ils échafaudaient les hypothèses les plus délirantes sur la tour d'Est. Fouk affirmait qu'une de ces nuits il irait visiter le lieu interdit. Chéramie, terrorisé, essayait de l'en dissuader. Finn, au contraire, l'encourageait à y aller. Évidemment, il était persuadé que Fouk blaguait.

Et un matin, ils se retrouvèrent, Chéramie et lui, seuls dans le réfectoire. Quand la porte s'ouvrit, ils s'attendaient à voir Fouk. Mais ce fut Froideneige qui entra.

– Fouk a dû oublier de se réveiller, Maître, dit Finn. Je vais le chercher.

– Ce n'est pas la peine, répondit Froideneige sobrement. Il nous a quittés avant l'aube.

– Il est parti ? demanda Chéramie, stupéfait.

– Le Grand Maître Dystar l'a renvoyé.

– Renvoyé ! répéta Finn. Mais pourquoi ?

Froideneige observa le serviteur qui apportait les brouets. Finn trouva amusant que lui aussi évitât de parler en sa présence. Puis Froideneige s'assit auprès d'eux. Il prit une mine de circonstance, digne et grave.

– Fouk a été surpris, cette nuit, dans l'escalier de la tour d'Est, expliqua-t-il.

Chéramie poussa un « oh ! » effrayé. Finn n'en croyait pas ses oreilles. Froideneige était content de son petit effet et abandonna ses airs dramatiques. Il était, en fait, aussi excité par la nouvelle que ses apprentis.

– Jeune crétin ! Qu'est-ce qu'il s'imaginait, hein ? Qu'on ne s'apercevrait de rien ? Peuh ! Alors, quelle est la cinquième loi des Vénérables ?

– La... cinquième ? bégaya Chéramie.

– *« Aux règles tu obéiras ! »* leur rappela Froideneige. Voilà le résultat quand on ne respecte pas les lois ! Bon ! Le chapitre est clos. Mangez, maintenant. Aujourd'hui est un jour important. C'est celui de votre évaluation. Je vais vous questionner sur les herbes et les tisanes. Et si je ne suis pas satisfait, c'est terminé pour vous !

– Quoi ? s'affola Finn. Mais ce n'est pas juste, je

suis là depuis beaucoup moins longtemps que Chéramie !

– C'est à moi de juger ce qui est juste ou pas, répondit Froideneige en se levant. Allez ! Vous avez suffisamment traîné !

Finn avala une dernière cuillerée de la détestable bouillie qui lui resta collée au palais. Chéramie tenait à peine sur ses jambes tellement il avait peur. Finn faillit lui glisser quelques mots rassurants. Puis il pensa que, si Chéramie perdait tous ses moyens, il aurait l'avantage sur lui. Ce n'était peut-être pas très gentil, mais Finn voulait mettre toutes les chances de son côté. Froideneige l'avait toujours préféré aux deux autres. Peut-être n'aurait-il pas décidé de les tester dès à présent s'il ne croyait pas Finn à la hauteur ?

Froideneige pointa le doigt vers une touffe d'herbe sur le bord du carré des simples.

– Apprenti Chéramie, qu'est-ce que c'est que ça ?

– Je suis désolé, Maître... Je... je n'ai pas bien biné hier. Je vais les arracher tout de suite.

Froideneige le regarda en hochant la tête puis se tourna vers Finn.

– C'est de la capselle, répondit Finn. En infusion, très bonne pour la circulation du sang. Efficace aussi pour les hémorroïdes. On peut utiliser la plante fraîche pour arrêter les saignements.

Chéramie, comprenant qu'il s'était fourvoyé sur le sens de la question du Maître, devint livide. Finn se sentait de plus en plus serein. La matinée fut une torture pour le pauvre Chéramie et un moment de gloire pour Finn. Malheureusement, il en profita peu. Froideneige les envoya bientôt chez Maître Islip. Les épreuves continuaient.

En lecture, en histoire et en *Chroniques de Lur*, Chéramie était de loin le plus fort. Finn confondait les noms des Vénérables, se trompait dans l'ordre des lois et n'avait pas lu le tiers des *Chroniques*. Il essaya d'apitoyer Islip.

– Je n'ai pas eu le temps d'apprendre par cœur... J'ai encore beaucoup de mal à lire...

Cependant le Maître Enseignant restait sourd à ses excuses et pas seulement à cause de sa mauvaise oreille.

– Bien, finit par dire Islip. Vous devez descendre au réfectoire et nous y attendre. Le Vénérable Froideneige et moi devons discuter à présent.

Les deux apprentis avaient l'impression d'avoir échoué, chacun dans un domaine. Qu'allaient décider les Maîtres ? Allait-on les renvoyer eux aussi, comme Fouk ? Morose et silencieux, Finn contemplait le soleil qui déclinait sur les collines bleutées.

– Je serais content de rentrer chez moi, dit brusquement Chéramie.

– Tu ne voulais pas devenir sorcier ? s'étonna Finn.

– Je ne suis pas né dans la famille qu'il me fallait, soupira Chéramie. Tous les fils aînés sont destinés à devenir sorciers. Moi, j'aurais préféré me marier et m'occuper de la fabrique de pots avec mes frères.

Leur conversation fut interrompue par Froideneige. Il leur commanda de le suivre. Ils prirent le chemin de la tour d'Ouest, là où se trouvait la bibliothèque. Jamais auparavant ils n'avaient eu l'autorisation de s'y rendre. Mais ce n'était pas leur destination. Froideneige les conduisit dans une grande salle aux nombreuses fenêtres. Il n'y avait que des sièges vides et un imposant fauteuil monté sur une estrade. Islip était assis sur une chaise à haut dossier, d'un côté de l'estrade. Et dans le fauteuil, se tenait le Grand Maître de Lur.

Froideneige fit avancer les garçons, qui s'étaient arrêtés, impressionnés. Finn n'oublia pas de saluer respectueusement le Vénérable Dystar. Froideneige prit place près d'Islip. Rien ne se passa durant quelques minutes. Dystar ne semblait guère pressé de prendre la parole. Quand il la prit, il la garda un bon moment.

– Nous vous avons bien observés, apprentis. Même quand vous ne le saviez pas. Je ne prétendrai pas que nous sommes très satisfaits. Votre manque de discipline, votre irrespect envers les Maîtres et les lois, votre peu d'application au travail, vos lacunes… hélas, la liste est longue. Le Vénérable Froideneige, toujours trop indulgent, s'est fait votre avocat. Le Vénérable Islip, connu pour son impartialité, vous a jugés plus sévèrement. Il me revient de trancher. Apprenti Chéramie, avance d'un pas. Hum… Quoique reconnaissant ta bonne volonté, le Vénérable Froideneige n'a pu te défendre. De toute évidence, les plantes et leurs usages ne t'intéressent guère. Pourtant, ce savoir est indispensable. Aucun sorcier ne peut l'ignorer. Le verdict du Vénérable Islip est plus nuancé. Il admet que tu apprends bien tes leçons. Mais il a le sentiment que tu ne les comprends pas. Jamais, pas une fois, tu n'as posé la moindre question. Or réciter par cœur n'est pas tout ce qu'on vous demande. Il faut aussi faire preuve de réflexion. Quant à moi, je pense que tu n'es pas à ta place, ici. Réponds-moi franchement, apprenti Chéramie : désires-tu réellement devenir sorcier ?

Chéramie baissa les yeux et rassembla tout son courage.

– Non, Vénérable Grand Maître. Je suis venu uniquement parce que la tradition familiale l'exige. Je crains de ne pas avoir d'aptitude pour la sorcellerie.

– Voilà une réponse sincère, dit Dystar. Je salue ton honnêteté et t'approuve. Tu n'as, en effet, aucune des qualités requises, hormis l'assiduité. J'écrirai personnellement à ton père pour qu'il te pardonne. Il arrive, malheureusement, que les dons ne se transmettent pas d'une génération à la suivante. Ce n'est donc pas ta faute.

– Merci, Vénérable Grand Maître.

– Hum… Jeune Finn, avance d'un pas. Tu es arrivé depuis peu de temps et tu as déjà fait tes preuves. C'est du moins l'avis du Vénérable Froideneige. L'apprentissage des plantes et des remèdes te convient, de toute évidence. Cela ne fera pas de toi un sorcier, cependant. Au mieux, un bon guérisseur. Ce qui est honorable, bien sûr. J'avoue avoir été très étonné par les commentaires du Vénérable

Islip à ton sujet. Il s'est plaint de ton ignorance et j'ai cru que son jugement serait sans appel. Et puis il a pris ta défense. Il en faut beaucoup pour impressionner le Vénérable Islip. Pourtant, tu y es parvenu par ta détermination. Pas une nuit tu n'as manqué à l'étude, bien que n'étant pas surveillé. Tu t'es acharné à lire, en dépit de tes difficultés. Tes progrès sont manifestes, quoique insuffisants. Tu parles aussi un peu trop et souvent mal à propos. Mais c'est le défaut d'une de tes qualités : ton désir de comprendre. De tout ça je déduis deux choses : tu es tenace et intelligent. Il me paraît que, contrairement à ton camarade Chéramie, tu as hérité des dons de ton père. J'oserais même l'affirmer. En effet, tu as convaincu tes Maîtres, y compris l'exigeant Vénérable Islip, que ta place était à Lur. J'écoute donc leur avis. Apprenti Finn, tu es maintenant l'étudiant Finn. Exceptionnellement, je t'autorise à rester ce soir avec Chéramie car, dès demain à l'aube, il devra partir.

– Merci, Vénérable Grand Maître, répondit Finn.

Dystar les pria de sortir et d'aller dîner. On ne les raccompagna pas au réfectoire. Les trois Vénérables devaient poursuivre leur conversation en dehors de leur présence.

– Eh bien, voilà qui est fait, commenta Maître Islip. Nous nous sommes débarrassés de Chéramie et de Fouk'hasma T'Noor sans beaucoup de tracas!

Les apprentis ignoraient pourquoi deux d'entre eux venaient d'être renvoyés. Par tradition, les Vénérables étaient obligés d'accueillir certains jeunes gens. Mais ils n'en voulaient pas forcément car peu de ces garçons avaient le don. Fouk leur avait facilité les choses en transgressant un interdit. Chéramie n'avait qu'une envie, c'était de retourner chez lui fabriquer des pots.

Seul Finn intéressait les Vénérables Maîtres Sorciers de Lur. Et pour cause: il était le fils de Miricaï le Grand.

Chapitre 5
La mère la plus bête du monde

Loudana peinait sur le chemin pentu. La graisse, et non la sueur, suintait par tous ses pores. Elle était partie bien avant l'aube, mais le soleil l'avait rattrapée. Elle regrettait à présent de s'être aussi lourdement chargée. Cependant, la perspective de revoir son fils chéri lui donnait du courage. Loudana avait réfléchi pendant ses longues soirées solitaires. Elle avait fini par concevoir un plan qu'elle jugeait particulièrement brillant. Aussi n'avait-elle aucun doute. Et même la soudaine apparition de l'énorme forteresse ne réussit pas à l'inquiéter.

Parfaitement sereine, Loudana traversa le pont et alla frapper à la porte. Puis frappa à nouveau. Et encore. Ils étaient sourds là-dedans? Au terme de plusieurs minutes, elle entendit enfin le coulissement des barres à l'intérieur. Le Vénérable Froideneige la regarda avec stupéfaction.

– Qui êtes-vous ?

– Loudana. La mère de Finn.

Elle souleva une de ses besaces et débita précipitamment le discours qu'elle avait soigneusement préparé.

– Je lui apporte des vêtements d'hiver. Il est parti presque sans rien. Il fait chaud pour le moment, ça ne va pas durer. Le climat change tellement vite dans le comté !

Le Maître Herboriste tendit la main pour prendre le sac. Loudana recula d'un pas.

– J'ai fait une si longue route, dit-elle plaintivement. J'espérais embrasser mon fils.

– Enfin, madame ! protesta Froideneige. Où vous croyez-vous, ici ?

– S'il vous plaît… c'est mon seul enfant…

À court d'arguments, Loudana utilisa le dernier moyen à sa disposition : ses beaux yeux gris bleu pleins de larmes. Froideneige n'était pas le genre à se laisser séduire mais il redoutait par-dessus tout les pleurnichardes.

– Bon, bon, d'accord, puisque vous êtes là.

Loudana s'avança résolument et fut arrêtée aussitôt.

– Madame ! s'écria Froideneige. Vous ne pouvez pas entrer !

– Pourquoi ? demanda Loudana, interloquée.

– Mais… enfin ! Les femmes ne sont pas admises à Lur !

– Pourquoi ? répéta Loudana.

– Pour… ? Parce que ! C'est comme ça, voilà tout ! Attendez dehors !

Le Vénérable lui referma la porte au nez en maugréant. Une femme ! Une femme à Lur ! Il n'aurait jamais cru voir ça un jour ! Il partit chercher Finn, qui s'occupait de l'arrosage du jardin. En apprenant que sa mère était venue lui apporter des affaires, Finn espéra surtout qu'elle avait pensé à lui cuisiner un pain de viande. Il fut un peu ennuyé quand sa mère se jeta sur lui pour le couvrir de baisers en présence de Froideneige. Fort heureusement, le Maître Herboriste n'avait aucunement l'intention d'assister à cet étalage de sentiments. Il rappela à Finn qu'il avait du travail à faire et qu'il ne pouvait pas rester longtemps en compagnie de sa mère. Puis il s'éloigna. Finn repoussa Loudana et fouilla dans les besaces avec intérêt.

– Il n'y a rien à manger là-dedans !

– Ben, non… C'est vrai que tu as maigri.

– Il n'y a même pas de coton pour ma broderie !

– Je ne savais pas... C'est sans importance ! Je voulais tellement te serrer dans mes bras ! Tu es content ? Hein ? Tu es content que je sois là, n'est-ce pas, mon trésor ?

– Maman... grommela Finn. Je ne suis plus ton « trésor ». Je suis étudiant en sorcellerie, maintenant. J'ai passé la première évaluation. Je suis seul à avoir réussi !

– Bien sûr, bien sûr, mon amour ! Tu es le meilleur !

– Évidemment, que mon père soit Miricaï le Grand y est pour beaucoup, admit Finn honnêtement.

– Ah ! Ah bon... Tu crois ?

– Je ne serais pas ici sans cela ! Et je ne pense pas que j'y serais encore si les Vénérables n'étaient pas aussi intéressés par mon hérédité. Ils me l'ont bien fait comprendre.

Loudana se mordit les lèvres et évita son regard. Finn la connaissait trop bien pour ne pas s'interroger sur son brusque silence.

– Qu'est-ce qu'il y a ? De mauvaises nouvelles ? Un problème dans le comté ?

– Hein ? Non.

– Alors, quoi ? s'énerva Finn. Je vois bien que tu as quelque chose à me dire !

– Ben, non... Je ne pensais pas... Enfin, peut-être qu'il vaudrait mieux...

Finn eut envie de la saisir par les épaules et de la secouer un bon coup. Il se retint car il risquait de déclencher des lamentations sans fin. Il essaya la douceur.

– Ma chère maman, parle-moi. Souviens-toi : je suis ton chéri, ton trésor ! Tu peux me faire confiance !

– Tu ne te fâcheras pas ?

– Me fâcher ? Pourquoi ? s'affola Finn. Qu'est-ce que tu as fait ?

– Rien ! répondit Loudana. Enfin... Il y a si longtemps. J'étais jeune. J'ai des excuses.

Malgré la chaleur du midi, Finn sentit un courant glacé lui parcourir le dos. Il ouvrit la bouche sans être capable de prononcer un mot.

– Ce n'est pas grave, dit Loudana d'un ton rassurant. Tu es tellement intelligent ! Tu te débrouilleras !

– Ma... man ? bredouilla Finn.

Loudana soupira et rassembla tout son courage.

– Il fallait bien que je te le dise un jour... Voilà :

ton père n'est pas Miricaï le Grand. Enfin, je ne crois pas.

– Maman! cria Finn. Qu'est-ce que tu racontes? Tu as menti?

– J'étais obligée! se défendit Loudana. Je me suis retrouvée enceinte de toi. Si je n'avais pas menti, nous aurions été exclus du village. Nous serions sûrement morts à l'heure qu'il est! Avoue que, grâce à moi, nous avons toujours eu à manger. Et puis, nous avons été respectés. On en a bien profité, non?

Finn se retourna vers la porte restée ouverte. Par chance, le hall était toujours désert. Finn prit sa mère par le bras pour l'éloigner de l'entrée.

– Tu es folle! dit-il sourdement. Te rends-tu compte dans quelle situation tu m'as mis? Je dois tout expliquer aux Vénérables, maintenant! Ils vont me renvoyer! En espérant que ce ne soit pas pire que ça!

– Tu n'as qu'à te taire. Pense à ta pauvre mère: si on apprend la vérité, on va me le faire payer cher dans le comté!

– J'ai envie de l'étriper, ma «pauvre mère»! rétorqua Finn. Comment as-tu pu être assez bête pour inventer une histoire pareille?

– Bête ? protesta Loudana. C'était très malin, au contraire. On a eu la belle vie jusqu'à présent. Et je compte bien continuer de l'avoir !

– Tu n'es qu'une stupide égoïste ! Tu n'as pensé qu'à toi ! C'est moi qui vais avoir tous les ennuis !

– Les Vénérables ne le sauront jamais si tu tiens ta langue.

– Ah, vraiment ? Tôt ou tard, ils s'apercevront que je n'ai aucun don pour la sorcellerie. Et puis, au fait… qui était mon père ?

– Je l'ignore, répondit Loudana en haussant les épaules. Un étranger qui passait dans le comté. Il était bel homme. Et puis il causait joliment.

– Joliment ! répéta Finn en reniflant. Tu t'es laissé engrosser parce qu'il causait bien ?

– Je ne te permets pas de me juger. J'étais à peine plus âgée que toi, j'étais un peu naïve.

– Tu n'étais pas naïve, tu étais idiote ! Et il n'a pas eu la bonne idée de te donner son nom, le beau parleur ?

– Ma foi, je ne me souviens plus…

Finn essuya son visage du plat de la main. Il n'avait pas mérité ça ! Comment allait-il se sortir de là ? De toute évidence, Loudana ne voyait pas le problème. Elle ne songeait qu'à son petit confort. Finn se raccrocha à un dernier espoir.

– Mais... tu es certaine que ce n'était pas Miricaï ? L'idée d'en faire mon père t'est bien venue de quelque part. C'était peut-être vraiment lui ?

– J'en doute. C'est en entendant les vieilles histoires de sorciers que j'ai eu l'idée. Je me suis dit comme ça : voilà un gars que personne n'a jamais vu, qui fait peur à tout le monde et qu'on ne risque pas de croiser dans le comté. Et puis, si ça trouve, il est mort depuis longtemps !

Loudana semblait très fière d'elle. Finn allait lui poser d'autres questions sur son véritable père lorsque Loudana se racla la gorge en faisant des mines. Finn se retourna brusquement. Le Vénérable Froideneige se tenait dans l'encadrement de la porte.

– Vous avez fini ? demanda-t-il. Parce que les légumes ne vont pas se déterrer par magie !

Sa plaisanterie le fit rire. Tremblant de tous ses membres, Finn essaya de sourire. Apparemment, Froideneige n'avait rien entendu de compromettant. Loudana prit son fils dans les bras pour l'embrasser.

– Au revoir, mon chéri.

Au creux de son oreille, elle lui glissa un « tout va bien » lénifiant qui donna à Finn une furieuse envie de pleurer.

*
* *

La mère la plus bête du monde. Voilà son seul héritage ! Pas de père sorcier, ni grand ni petit... même pas un honnête paysan (il s'en contenterait à présent...). Non. Un joli causeur dont il ignorait tout, hormis qu'il séduisait les cruches sur son passage !

Les jours qui suivirent la dramatique confession de sa mère, Finn les vécut dans la terreur. Mais, au bout d'une semaine, il se rendit à l'évidence : rien n'avait changé. Les Vénérables Maîtres ne semblaient pas conscients d'avoir affaire à un imposteur. Ils étaient même satisfaits du travail de Finn, qui avait redoublé d'efforts par crainte. Finn commençait à peine à se sentir en sécurité quand il fut convoqué par le Grand Maître Dystar. Malgré ses suppliques, Froideneige refusa de lui en donner la raison. Néanmoins, l'herboriste était d'une bonne humeur encourageante. De toute façon, Finn n'avait pas le choix et il se rendit dans la tour d'Ouest, le cœur battant.

Le Vénérable Dystar était assis dans le fauteuil sur l'estrade. Il sourit en invitant Finn à s'approcher.

– Bien, étudiant Finn. J'avoue être particulièrement content de toi. Tes Maîtres ne tarissent pas d'éloges à ton sujet. Le moment est donc venu de t'initier à la sorcellerie.

– Vous êtes sûr ? bégaya Finn. Je... je ne me sens pas du tout prêt...

– Ton honnêteté t'honore, mais c'est à moi de décider si tu es prêt ou non. Ne va pas t'imaginer que tu pourras dès demain lancer des sorts ou des incantations de protection ! Froideneige continuera à t'enseigner son art car il est essentiel à tout sorcier. Le Vénérable Islip, en revanche, va pouvoir se reposer. Le Maître Bibliothécaire Copiraille prendra la relève. La sorcellerie s'apprend d'abord dans les livres. Va te présenter à lui. La bibliothèque est à l'étage supérieur.

Finn salua le Grand Maître de Lur. Il était soulagé. Si, pour le moment, il ne s'agissait que de lire quelques ouvrages, il pouvait encore faire illusion. La bibliothèque, comme il le savait, était perpétuellement plongée dans la pénombre. Mais il ne s'attendait pas à ce qu'il allait découvrir. Il ne put retenir une exclamation en ouvrant la porte sur une pièce immense. Les murs étaient si hauts qu'on n'en voyait pas la fin. Et partout des livres, des livres... C'était écrasant. Un ricanement au-dessus de sa tête attira son attention. Perché sur une échelle, le Vénérable Copiraille jouait les équilibristes, une pile de rouleaux de parchemin coincée sous son menton.

– Les étudiants sont toujours impressionnés quand ils pénètrent ici pour la première fois, dit-il en redescendant. Il y a de quoi, d'ailleurs.

– Vos yeux vont-ils mieux ? s'enquit Finn en se précipitant pour le soulager de sa charge.

– Oui, merci. C'est fort aimable de t'en préoccuper.

Le Maître Bibliothécaire était très âgé, sans aucun doute. Mais son agilité et sa souplesse étaient surprenantes. Presque chauve, Copiraille avait un visage poupin aux fossettes profondes qui lui donnaient un air rieur. Finn se sentait comme un géant à côté de ce petit bonhomme rondouillard.

– Veux-tu commencer l'étude dès maintenant ou bien préfères-tu te familiariser d'abord avec l'endroit ?

Finn devina le piège, qui n'était pas vraiment subtil. Copiraille avait beau être d'une affabilité confondante, il n'en demeurait pas moins un Maître Sorcier.

– Je suis ici pour travailler, affirma Finn.

Un éclair passa dans les yeux fatigués de Copiraille. Finn comprit brusquement que le Maître Bibliothécaire n'était, en réalité, pas gentil du tout.

– Soit… Puisque tu les as en main, nous n'avons qu'à nous servir des manuscrits du Langage.

– Il s'agit du vocabulaire de sorcellerie ? demanda Finn.

– Non pas. C'est le Langage secret.

Finn resta muet. Il était partagé entre une irrésistible curiosité et une peur bien légitime d'apprendre ce qui était interdit à un imposteur de son espèce. Copiraille se méprit sur son silence.

– Oui, je sais, je sais ! Les étudiants craignent toujours que cela soit trop difficile !

– Je… oui, en effet. Je suis tellement ignorant !

– L'humilité est une grande qualité. Mais, soyons justes, les sorciers sont tout sauf modestes ! Il faut prendre un peu d'assurance, mon garçon. Tu n'as pas de soucis à te faire, vu ton ascendance.

À la manière dont il prononça cette dernière phrase, il parut évident à Finn que Copiraille n'était pas seulement un hypocrite mais un jaloux de premier ordre. Pourtant, s'il y avait bien un « maître » en duplicité dans la pièce, ce n'était sûrement pas Copiraille !

– Je m'en remets à vous, Vénérable, répondit Finn. J'ai toute confiance en votre jugement.

Le Maître Bibliothécaire grommela quelque chose, grimaçant un sourire. À défaut d'avoir hérité de dons de sorcier, Finn était un fourbe-né. Les heures qui suivirent, il fit montre d'une telle soumission que Copiraille s'en trouva presque frustré. Quant au Langage, Finn n'y comprit rien. Et il en fut ainsi des jours durant. Il apprenait par cœur des litanies d'invocations et d'incantations inintelligibles. S'il n'y avait eu les matinées dans le jardin avec Froideneige, Finn serait devenu fou. Et puis, un après-midi, Copiraille lui annonça qu'il avait terminé.

– Vous allez m'expliquer à quoi ça sert, maintenant ? espéra Finn.

Il regretta aussitôt d'avoir parlé impulsivement. Le Vénérable Copiraille le fixa de ses petits yeux perfides comme s'il ne saisissait pas.

– Je veux dire : qu'allons-nous étudier, maintenant ?

– Expliquer ? Le Langage, c'est le Langage, un

point c'est tout. Les sorciers savent tous ce qu'il signifie.

– Mais je ne suis pas encore un sorcier, Vénérable !

– C'est ce que nous dira bientôt le Maître Devin, répondit Copiraille.

Finn dut faire appel à tout son sang-froid pour garder une figure impassible. Copiraille l'observait attentivement, à l'affût de la moindre défaillance. Finn cacha ses mains tremblantes sous la table. D'une voix sereine, presque indifférente, il demanda :

– Bientôt, Maître ?

– Très prochainement...

Puis il se leva, signe que l'étude était terminée. Lui poser d'autres questions eût été risqué. Finn le salua respectueusement et quitta la bibliothèque. Dans l'escalier, il dut s'appuyer au mur, au bord de la suffocation. Un Maître Devin ! C'était la catastrophe ! Son imposture allait fatalement être découverte ! Finn se reprit et continua sa descente. Il fallait qu'il s'entretienne avec Froideneige. Le Vénérable n'était pas d'une nature méfiante, et la fourberie lui était étrangère. En plus, il manifestait de l'amitié pour Finn.

Par chance, l'herboriste était encore au jardin, profitant des rayons bienfaisants du soleil déclinant.

– Ah, ah ! Tu viens respirer le bon air après toute la poussière des vieux bouquins ?

– Oui, Maître. Il me reste du temps avant le dîner. Puis-je faire quelque chose ?

– Tu as bien changé, mon ami, depuis ton arrivée ! Voilà que tu ne peux plus t'arrêter de travailler ! Allons, allons ! Viens t'asseoir près de moi et lambine un peu !

Finn n'en espérait pas tant. L'occasion était trop belle.

– Le Vénérable Copiraille vient de m'apprendre une bonne nouvelle, dit Finn, du ton le plus enjoué possible. Le Maître Devin…

– Ah oui ! l'interrompit Froideneige. Hé, hé… Le grand jour approche ! J'en déduis que le Langage n'a plus de secrets pour toi !

Prudent, Finn ne fit pas de commentaires. Froideneige autant que Copiraille semblaient penser qu'il comprenait le Langage. Oui… s'il avait été un vrai sorcier, sans doute le comprendrait-il !

– Et… heu, c'est pour quand, exactement ?

– Ma foi… Le Maître Devin n'est pas encore revenu de sa tournée dans le comté d'Ulcamar. C'est que, en été, il est très pris. Les gens là-bas se marient tous à la même période et, évidemment, ils veulent une prédiction favorable avant la cérémonie.

– Et si elle n'est pas favorable ?

– Elle l'est toujours ! répondit Froideneige en riant. Voyons, Finn, ce n'est qu'une aimable façon de bien débuter un mariage ! Enfin, soit dit entre nous… Le Maître Devin n'apprécierait pas. Il prend son rôle très au sérieux.

– Je… Y a-t-il… Je voudrais être sûr de ne pas commettre d'erreurs. Comment dois-je me comporter avec le Maître Devin ?

– Respectueusement, comme toujours. Tu n'as pas à t'inquiéter. Ce n'est qu'une formalité. On te dira simplement ton avenir. Mais, hé ! On le connaît, ton avenir ! Ce qui est important, tu l'as déjà fait.

– Comment ça ? dit Finn, éberlué.

– Ben, le Langage ! C'est le Langage qui fait le sorcier ! C'est pour ça qu'il est secret ! Beaucoup de mécréants ont cherché à nous le voler. Certains se sont même introduits dans la forteresse en prétendant descendre d'honorables lignées de sorciers ! Inutile de préciser qu'ils ont été démasqués.

– Et que… que leur est-il arrivé ? demanda Finn en frémissant.

– Rassure-toi ! Nous avons toujours su protéger

le Langage. Aucune personne indigne n'a jamais pu s'en servir... Et pour cause!

Froideneige passa le pouce le long de sa gorge et fit «couic» en clignant de l'œil.

Chapitre 6
Panique à Lur

Finn ne put dormir de toute la nuit. Froideneige avait été des plus clairs : les imposteurs finissaient mal. Si le Maître Devin avait un quelconque pouvoir, il découvrirait sans peine que Finn était un usurpateur. La tentation de tout avouer aux Vénérables était forte. Mais il était sans doute trop tard. Il aurait dû parler sitôt après son entrevue avec sa mère. On ne lui avait pas encore enseigné le Langage. On l'aurait probablement jeté comme un malpropre, ce qui valait mieux qu'une gorge tranchée. Que lui serait-il arrivé ensuite, ainsi qu'à Loudana ? Tout le monde aurait rapidement été au courant dans le comté. On les aurait chassés de leur maison. Ou pire… On les aurait peut-être enfermés ou condamnés aux travaux forcés.

Comment se sortir de cette situation ? Finn

pensa à Fouk'hasma T'Noor. Il pourrait s'introduire, lui aussi, dans la tour d'Est et se faire prendre. Mais il y avait une différence de taille entre lui et Fouk : ce dernier n'avait pas appris le Langage. Finn avait l'intuition que cela changeait les données du problème. *Les Maîtres Sorciers ne pouvaient tout simplement pas laisser partir Finn !*

Au petit matin, Finn avait pris une décision. Il avait quelques jours, au mieux, avant le retour du Maître Devin. Il devait préparer sa fuite. Quitter la forteresse n'était pas difficile. La porte n'était pas gardée et il suffisait d'enlever les barres. Finn n'avait jamais remarqué quiconque dans les couloirs le soir après l'étude. Ce qui n'empêchait pas la prudence. Les Vénérables avaient peut-être un moyen magique de surveiller la forteresse. Voler de la nourriture était plus délicat. Finn n'avait jamais mis les pieds dans la cuisine. Et si le serviteur muet dormait là-dedans ? Finn décida de cacher le pain sous sa tunique pendant le dîner. C'était peu, mais il ne voyait pas d'autre solution. Il fit un tri dans ses affaires. Il avait intérêt à voyager léger. Il mit de côté la grosse veste de laine que sa mère lui avait apportée. Il jugea plus judicieux de prendre la couverture de son lit. Lorsque le temps se rafraîchirait, il pourrait l'utiliser comme une cape. Même si la raison le lui commandait, Finn ne put se résoudre à abandonner sa broderie.

Maintenant, il fallait se comporter le plus normalement possible. Finn avait au moins retenu une bonne leçon de son séjour à la forteresse : réfléchir avant de parler vous évitait bien des ennuis. Il se méfiait particulièrement de Copiraille. Malheureusement, il lui avait été ordonné de continuer l'étude dès le matin. Finn se rendit donc à la bibliothèque après son infâme petit déjeuner. Copiraille lui réservait une surprise.

– J'apprécie ta ponctualité, dit le Maître Bibliothécaire à son entrée. Vraiment, vraiment ! Tu as toujours été à l'heure, mon jeune ami. Attentif, travailleur, aimable et respectueux ! J'ai eu peu d'étudiants aussi... remarquables.

– Vous êtes beaucoup trop bon, Vénérable, répondit Finn. Je crains, hélas, de ne pas mériter autant d'éloges !

– L'humilité est à ajouter à la liste de tes qualités.

Finn commençait à se demander où Copiraille voulait en venir avec cette débauche de compliments. Le Vénérable était un hypocrite doublé d'un roublard. Il ne faisait aucun doute qu'il avait une idée derrière la tête. Finn avait toutes les raisons de se méfier.

– Bien, bien... marmonna Copiraille en tapotant un gros livre à la couverture rouge.

Finn attendit. Il était assez malin pour ne pas jouer le jeu de Copiraille. Interroger le bibliothécaire sur le livre en question le rendrait vulnérable. Contrôlant mal sa déception, Copiraille se força à sourire et commit une grave erreur.

– Alors, mon jeune ami! Que désires-tu étudier, maintenant?

Il espérait, bien sûr, que Finn lui laisserait le choix. Mais Finn devina que le mystérieux livre rouge représentait un danger. Aussi prit-il un air aussi modeste que possible pour dire:

– Ah, Vénérable! J'ai honte de l'avouer mais je n'ai que mal retenu les *Chroniques de Lur*. Il me paraît pourtant indispensable à tout sorcier de les connaître par cœur pour en comprendre le véritable sens! Oserais-je vous supplier de m'accorder quelques jours afin de les relire dans leur intégralité?

Finn resta impassible devant l'expression abasourdie sur le visage de Copiraille. Mais il s'en réjouissait intérieurement, car le Maître Bibliothécaire était coincé. En effet, aucun des Vénérables de Lur ne pouvait lui refuser pareille demande !

– Je vois… répondit Copiraille en se reprenant. Évidemment, c'est, heu… tout à fait à ton honneur. Les *Chroniques* sont sur cette étagère. Tu n'as pas besoin de moi dans l'immédiat. Je vais en profiter pour soigner mes yeux avec la potion de Maître Froideneige.

Finn prit une mine contrite et se désola de ce que les yeux du Vénérable le fissent à nouveau souffrir. Copiraille le remercia de sa sollicitude et quitta la bibliothèque promptement… en laissant le livre rouge sur la table. Un oubli ? Certainement pas. Finn se souvenait parfaitement de ces petites phrases presque anodines de Maître Dystar lors des évaluations : « Nous vous avons bien observés, apprentis. Même quand vous ne le saviez pas. » Et puis il y avait eu, à plusieurs reprises, cette impression de ne pas être seul alors qu'il travaillait tard après l'étude avec Islip. La prudence était de mise.

Finn se leva pour prendre les épais volumes des *Chroniques de Lur*. Il se rassit tout près du livre rouge et poussa même la fantaisie jusqu'à poser dessus les trois tomes des *Chroniques* ! Puis il entreprit la lecture à haute voix depuis le premier chapitre. Si Copiraille l'espionnait, il ne tarderait pas à craquer. Finn avait un peu de mal à résister à la tentation. Il découvrit, à cette occasion, qu'il était doué d'une certaine force de caractère. C'était, en soi, assez satisfaisant...

*
* *

Et si Finn était content de lui-même, il n'en allait pas de même pour Copiraille. Comme le jeune homme l'avait effectivement deviné, le Vénérable avait cherché à le piéger. À vouloir être le plus malin des deux, Copiraille s'était fait avoir ! Et maintenant, il devait aller s'en expliquer avec Dystar. Car rien ne se faisait à Lur sans que le Grand Maître en fût informé. Copiraille retrouva Dystar dans la petite pièce attenante à la bibliothèque. Celui-ci se tenait devant le minuscule panneau coulissant qui lui permettait de surveiller Finn. Le Grand Maître referma le panneau et regarda Copiraille d'un air sévère.

– Que fait-il ? demanda le bibliothécaire, espérant que Finn s'était jeté sur le livre rouge dès sa sortie.

– Il lit les *Chroniques*. Malheureusement pas en

silence ! Rarement entendu quelqu'un lire aussi platement.

– Il est rusé. Je suis sûr qu'il m'a percé à jour.

– Ou alors il est innocent de ce dont vous l'accusez, rétorqua Dystar.

– Je ne l'accuse de rien, se défendit Copiraille. Je m'interroge. Comment se fait-il qu'il ne comprenne pas le Langage ? L'occasion est manquée mais elle se représentera. Tôt ou tard, je lui mettrai sous le nez les *Actes* de Gravatte l'Ancien. Et je vous parie ma bibliothèque qu'il sera incapable d'en saisir le moindre mot !

– Et nous aurons bien du mal à en juger, répondit Dystar.

– Pourquoi ? s'étonna Copiraille.

– Parce qu'il pourrait décider de ne pas partager son savoir avec nous. Vous affirmez vous-même que Finn est rusé. L'est-il suffisamment pour vous avoir caché qu'il comprenait le Langage ?

– Dans quel but l'aurait-il fait ? Il n'a aucune raison de se méfier de nous.

– Vous négligez un point qui a son importance, Vénérable. Finn est le fils de Miricaï. Ni vous ni moi ne pouvons mesurer le poids de cette hérédité.

– Peut-être, mais Miricaï n'était pas là pour l'éduquer. Finn ne connaît que ce que nous lui avons appris.

– Ce qui n'est pas grand-chose, soupira Dystar.

Copiraille fronça les sourcils. Il n'était pas dans les habitudes du Grand Maître de Lur de laisser paraître sa lassitude.

– Allons ! dit Copiraille. Ne baissons pas les bras. Je suis sûr que la cérémonie avec le Maître Devin clarifiera la situation !

Oui, mais de quelle manière ? se demanda Dystar en son for intérieur.

*
* *

Si Finn avait eu connaissance de la conversation entre les deux Vénérables, il aurait eu toutes les raisons de s'inquiéter encore davantage. D'ailleurs, il était de plus en plus paranoïaque, s'imaginant même que le serviteur muet le suivait dans les couloirs. Trois longues journées passèrent. L'air était lourd et sec, ce qui, paradoxalement, annonçait les orages de la fin de l'été. L'automne était généralement une saison agréable dans la région. Finn avait décidé de voyager vers le sud. Grâce à Chéramie, il savait qu'il y trouverait le comté de Damalone, qui bénéficiait d'un climat ensoleillé, même en hiver. Au moins, il était sûr que des gens pacifiques habitaient là-bas et qu'il n'y avait ni dragons ni monstres ni loups. Le matin du départ de Chéramie, Finn l'avait accompagné jusqu'au pont. Il avait vu le chemin que le jeune garçon avait emprunté. C'était une indication importante.

Dans la chaleur de la nuit, Finn comptait les morceaux de pain. Il les enveloppa dans un linge pour les ranger dans sa besace. Il se souvint que sa mère faisait exactement le même geste, le jour de son anniversaire. Qu'allait-il advenir de Loudana lorsque la nouvelle de la fuite de son fils atteindrait Gobardon ? Finn ne pouvait rien pour elle. Après tout, c'était sa faute. Elle n'avait qu'à se débrouiller.

Finn attendit, le cœur battant, que la lune disparaisse derrière les collines. Puis il roula soigneusement la couverture et l'attacha à un des sacs. Il faillit oublier la gourde qu'il avait remplie avant le dîner. Du coup, il vérifia à nouveau ses affaires. C'était reculer pour mieux sauter… Il devait y aller, maintenant.

Il était impossible de circuler dans la forteresse sans lumière. C'était un risque qu'il lui fallait courir. La main le long du mur pour se guider, Finn entreprit de descendre l'escalier. La faible lueur de sa bougie projetait des ombres mouvantes sur la pierre. Cela n'aidait pas à se sentir en sécurité. Finn arriva jusqu'au hall sans incident. Cela lui parut trop facile. Les Maîtres Sorciers devaient lui réserver une mauvaise surprise. Mais rien ne se passa quand Finn entreprit de faire glisser les barres de fer de la porte. Une fois à l'extérieur, il éteignit la bougie. Il patienta le temps que ses yeux s'accoutument à l'obscurité, guettant le moindre bruit. Les étoiles illuminaient le ciel mais bien peu la terre. Finn fut presque content de ne pas voir le précipice en marchant sur le pont. On devinait la trace des chemins. Finn regarda avec regret le sentier qui menait vers chez lui. Puis il emprunta celui de Chéramie, partant à l'assaut d'une colline caillouteuse. La pente était raide et dangereuse. Finn fut pris d'un rire nerveux en songeant que son périple allait être plutôt court s'il se rompait les os.

Enfin parvenu au sommet, Finn se retourna. La forteresse était invisible contre la roche. La lune était proche de l'horizon. Mais elle était face à Finn, désormais, et répandait généreusement sa clarté argentée. Dans moins d'une heure, elle disparaîtrait complètement. Finn repartit d'un pas vif. Le chemin était moins escarpé de ce côté-là. Finn prit de l'assurance. Les collines se succédaient, de plus en plus arrondies.

Quand le ciel pâlit, elles avaient cédé la place à une prairie desséchée. Les hautes herbes coupantes griffaient les jambes de Finn. Sa progression devint pénible. Il s'arrêta, but quelques gorgées d'eau. Il guetta l'apparition du soleil. Finn pourrait s'orienter grâce à lui. Il pensa à Froideneige, qui lui avait enseigné quelques rudiments d'astronomie. Dommage que le Maître Herboriste ne s'intéressât à la question que par rapport à la pousse des plantes. L'étude du ciel aurait été plus utile à Finn que l'histoire des Vénérables Sorciers !

Finn se lamenta sur son triste sort. Non, vraiment, il n'avait pas mérité ça. Brusquement, il se souvint de sa dernière entrevue avec Malgosia. Elle l'avait quitté en larmes, lui souhaitant le destin le plus pourri possible. Malgosia aurait fait un bon Maître Devin. Sauf qu'il n'y avait pas de femmes parmi les Vénérables. Tiens... Finn n'avait jamais pensé à demander pourquoi.

Les premiers rayons du soleil s'étendirent sur la plaine. À ce moment-là, Finn s'aperçut qu'il avait devant lui un océan d'herbe jaune. La vision était tellement déprimante qu'il se mit à pleurer.

*
* *

Le serviteur muet (qui ne l'était pas) répéta pour la troisième fois que l'étudiant était introuvable. En proie à la panique, Froideneige se précipita vers la tour d'Ouest, où logeait le Grand Maître Dystar. Il traversa le hall en courant, rata la marche en se retournant brusquement. Les barres de fer étaient posées par terre.

Froideneige espéra que Finn était sorti humer la fraîcheur du petit matin. Mais, dehors, il n'y avait personne. Le serviteur surgit derrière lui et annonça que l'étudiant avait également pris la couverture de son lit. Il remarqua d'un ton acerbe qu'il était inadmissible de voler la propriété de la forteresse. Froideneige retint une forte envie de l'étrangler et lui rétorqua que là était bien le dernier de ses soucis.

Maître Copiraille apparut, se hâtant vers sa bibliothèque.

– Qu'y a-t-il, Froideneige ? Vous semblez contrarié.

– C'est peu de le dire, marmonna le serviteur en regagnant sa cuisine.

– Finn a disparu, répondit Froideneige. Je… je crains qu'il ne soit parti.

– Vous n'êtes pas sérieux?

De grosses gouttes de sueur perlèrent sur le front du Vénérable Copiraille, signe d'une grande émotion. Froideneige redevint l'herboriste l'espace d'un instant et songea à fabriquer une potion pour régler ce problème de sudation excessive.

– Est-ce que j'ai l'air de plaisanter? hurla Froideneige. Ce jeune crétin a déguerpi! Et j'aimerais bien savoir pourquoi!

– C'est pourtant évident. Venez, il faut prévenir le Grand Maître au plus vite.

Le Vénérable Dystar profitait de sa haute fonction pour se faire servir des œufs et des saucisses au petit déjeuner. Il tiqua en voyant débouler les deux Maîtres Sorciers dans sa chambre.

– En voilà des manières!

Froideneige regarda son assiette et pensa amèrement que Dystar avait, lui aussi, de curieuses manières pour un végétarien.

– Finn s'est enfui de la forteresse! s'écria Maître Copiraille. Ça nous pendait au nez! Je vous avais prévenus! Mais non, moi, on ne m'écoute jamais!

– Je n'ai pas le souvenir que vous nous ayez prévenus de quoi que ce soit, dit Froideneige.

– Vous avez la mémoire courte : je vous ai mis en garde dès que j'ai découvert que Finn ne comprenait pas le Langage. Le Maître Devin ! Voilà pourquoi il s'est échappé ! Il a eu peur d'être démasqué !

– Ou, tout au contraire, il comprend le Langage, répondit Dystar. Et a craint d'être obligé de nous l'avouer.

– Ridicule ! Il n'avait aucune raison de craindre cela.

– Excusez-moi ! les interrompit Froideneige. Mais on pourrait peut-être remettre à plus tard cette fascinante discussion ! Il y a urgence. Qu'allons-nous faire ?

– Il faut le rattraper, bien sûr ! dit le Grand Maître. J'ai attendu seize longues années que Finn nous tombe entre les mains, je ne vais pas abandonner maintenant !

– Vous croyez qu'il est rentré chez lui ? demanda Froideneige.

– Je suppose qu'il n'est pas assez bête pour ça.

– Mais alors, où est-il allé ? Et comment allons-nous le retrouver ?

– Il nous faut des professionnels, déclara Dystar. Prévenez le muletier qu'il se prépare. Il portera une lettre à la Confrérie guerrière.

– La Confrérie guerrière ! s'exclama Copiraille. Vous n'allez quand même pas faire confiance à cette bande de soudards ?

– Soyons réalistes. Aucun de nous n'est apte à pourchasser un jeune homme en bonne santé. Les Frères Guerriers ne sont peut-être pas d'une grande subtilité mais ils savent suivre une piste.

– Insistez bien sur le fait qu'il nous faut Finn vivant, ricana Copiraille. Ils sont capables de nous le découper en morceaux !

– Nous allons perdre un temps précieux, se désespéra Froideneige. Il faudra au moins deux jours au muletier pour rejoindre le fortin d'Hibah. Et autant pour que les Frères viennent jusqu'ici. Cela donne quatre jours d'avance à Finn, au bas mot…

– Il est à pied, répondit Dystar. Les Frères sont à cheval. Bon ! Vénérables Maîtres, à chacun sa tâche. J'écris à la Confrérie. Maître Copiraille, occupez-vous du muletier. Froideneige, vous avez la vue perçante et peu de rhumatismes, allez examiner les alentours. L'orage menace en cette saison. La pluie risque d'effacer toute trace du passage de Finn avant l'arrivée des Frères. Or il est essentiel de découvrir dans quelle direction il est parti.

– C'est maintenant qu'on aurait besoin du Maître Devin, soupira Froideneige.

– Vous voulez rire ? dit Copiraille.

Froideneige haussa les épaules d'un air fataliste puis répondit :

– Hélas… oui.

Chapitre 7
La Confrérie guerrière

Omoa, le muletier de Lur, s'appliqua à se désoler à l'annonce de la nouvelle. Copiraille n'était pas dupe. Le muletier se réjouissait certainement de quitter la forteresse pendant quelques jours.

– Hâtez-vous, dit Copiraille. La matinée avance et il faut impérativement que vous soyez à Hibah demain soir.

– Je prends Pieds Sûrs, Vénérable. C'est ma meilleure mule.

– Prenez ce que vous voulez mais dépêchez-vous ! Je vous fais préparer des provisions.

Omoa acquiesça. Inutile de discuter de la valeur d'une mule avec ce rat de bibliothèque. Finn ne s'était jamais demandé comment les animaux entraient dans la forteresse. S'il avait su qu'il y avait une porte au fond de l'étable, il aurait pu voler une monture.

Derrière la bâtisse, un petit pont enjambait une ravine. De l'autre côté, une faille tranchait la colline.

Omoa observa le ciel. En cas d'orage, il y avait danger de mort à emprunter l'étroite gorge. En quelques minutes, la pluie pouvait se transformer en torrent. Rassuré par l'absence de nuages, Omoa entra dans l'étable afin de seller Pieds Sûrs. Il avait à peine terminé que le serviteur des cuisines lui apportait une sacoche rebondie et deux gourdes.

– Les Maîtres sont dans tous leurs états, ricana le serviteur. À cause de cet imbécile d'étudiant.

– Tais-toi, j'aperçois Dystar qui traverse le jardin.

Le serviteur s'empressa de quitter les lieux. Si le Grand Maître de Lur se déplaçait en personne pour parler au muletier, il préférait être ailleurs.

– Mon ami, dit Dystar, voici une lettre de la plus haute importance que vous devrez remettre en mains propres à l'Engoulant de la Confrérie guerrière.

– Vous croyez qu'il sait lire, Vénérable ? demanda Omoa.

– Mais oui, évidemment ! Enfin... au cas où,

dites-lui de venir immédiatement à Lur avec deux Frères. Immédiatement ! Menacez-le s'il le faut.

– Le menacer ! s'affola Omoa. Il pourrait me tuer !

– Même un Frère Guerrier n'est pas stupide au point de s'attaquer à un émissaire du Grand Maître de Lur. Allez ! Allez !

Omoa glissa la lettre dans sa tunique en pensant que, à un concours d'intelligence entre Pieds Sûrs et les Frères Guerriers, la mule gagnerait probablement.

*
* *

Essoufflé et transpirant, Froideneige gravissait la côte. Trouver des indices ! Il en avait de bonnes, Dystar ! Finn n'avait pas laissé la moindre trace sur ces chemins caillouteux ! L'herboriste se pencha pour examiner une petite plante bifide, sans grand intérêt. Il soupira en se redressant. Son jeune élève lui manquait. Il avait réellement de l'amitié pour Finn. Copiraille se trompait sur son compte. Si Finn s'était enfui, c'était probablement par peur de décevoir ses Maîtres. Personne, pas plus Dystar que les autres, ne savait comment le Langage venait aux sorciers. Réciter par cœur des litanies incompréhensibles n'était pas une méthode d'apprentissage. C'était juste le seul moyen qu'ils avaient à leur disposition. Peut-être que Finn ne comprenait pas encore le Langage. Mais ça ne prouvait rien. Le Langage n'obéissait à aucune règle. C'était bien en cela qu'il était magique ! Même les *Chroniques de Lur* n'expliquaient pas comment le Langage était apparu. Même les écrits des Vénérables Érudits restaient muets sur le sujet. Ah, bien sûr, il y avait les *Actes* de Gravatte l'Ancien… que des générations de Maîtres Sorciers n'avaient pas réussi à décrypter. Avant de s'installer à Lur, Froideneige avait longtemps voyagé. Il se souvenait d'une rencontre avec un Renégat dans le comté de T'Noor. Celui-ci affirmait que le Langage était quelque chose surgi du Chaos primordial et qui cherchait à y retourner. Lorsque Froideneige lui avait demandé ce qu'il entendait par « quelque chose », le sorcier avait dit : la mémoire du temps d'avant l'organisation du Chaos. Froideneige lui avait conseillé d'arrêter de boire. Malgré tout, cette conversation l'avait marqué… Le Langage pouvait-il être plus vieux que l'Univers ? Ce qui ne changeait rien au problème. D'où venait-il ? Et qui pouvait répondre à cette question ? Là était presque le plus troublant de l'affaire. Pour Dystar et d'autres Grands Maîtres avant lui, le seul à détenir la réponse était Miricaï.

Et peut-être aussi son fils.

*
* *

Pieds Sûrs était sans conteste la meilleure mule de tout le comté. Courageuse et fiable, jamais un mot plus haut que l'autre... Un parfait compagnon de voyage. Avait-elle compris l'urgence ? Elle allongeait le pas sans faiblir. Tant et si bien qu'Omoa arriva devant le fortin d'Hibah au milieu de l'après-midi du jour suivant son départ. Pieds Sûrs ralentit et tourna les oreilles vers le muletier. Omoa l'assura que c'était bien là leur destination.

Deux Frères Guerriers gardaient la porte grande ouverte. Ils regardèrent approcher la mule, l'œil glauque.

– Holà, Frères ! les salua Omoa. Dites-moi : où pourrais-je trouver l'Engoulant ?

L'un des gardes bâilla et l'autre fit un vague signe de la main. Omoa les remercia poliment. Dans la cour du fortin, il apostropha un Frère qui s'aspergeait la tête avec l'eau du puits.

– L'Engoulant, je vous prie ?

– Quoi ? grogna le Frère.

– L'Engoulant. Vous savez, celui qui vous sert de chef !

– Ah, lui... Dans la salle d'armes. Peut-être... peut-être pas...

Omoa guida sa mule vers le corps du bâtiment. Il recommanda à Pieds Sûrs de ne pas fraterniser avec ces soudards mal élevés, puis entra dans la salle d'armes. L'Engoulant y était effectivement. Il était fort occupé à huiler son badelaire*. Omoa se racla la gorge pour attirer son attention.

– Êtes-vous l'Engoulant ? J'ai une lettre à vous remettre. De la part du Grand Maître Dystar.

– C'est bien moi. Je suis Tiercefeuille. Qu'est-ce qu'il me veut, le vieux barbu ?

– Voyez vous-même, dit Omoa en lui tendant la missive.

Le muletier fut surpris que l'Engoulant sache vraiment lire.

– Enfin ! s'écria Tiercefeuille joyeusement. Une mission ! Je commençais à m'encroûter !

Puis, tapotant son abdomen d'un air inquiet :

– Vous trouvez que j'ai du ventre ?

Omoa retint une envie de rire et lui jura que sa

* Badelaire : genre de cimeterre, grand coutelas à lame recourbée.

silhouette imposait le respect. Tiercefeuille ne sut pas comment interpréter cette réponse et accorda le bénéfice du doute au muletier.

– Deux Frères… Hum… Oui, mais lesquels ? marmonna-t-il.

– De braves guerriers, intelligents si possible, suggéra Omoa.

– Vous n'y êtes pas, mon pauvre ami.

Tiercefeuille l'invita à le suivre et Omoa comprit vite le dilemme de l'Engoulant. Les Frères Guerriers étaient, pour la plupart, dans la salle de garde et ils étaient ivres morts.

– Bon, bah, je vais prendre les deux moins soûls, décida Tiercefeuille. Chef Barre Gris-Corbin, debout ! Hum… mouais… Il tient à peu près droit. Chantepleure ! Hum… on fera avec. Allez seller vos montures ! Heu… faites-vous aider…

Omoa ne proposa pas ses services. Au contraire, il s'assit à une table. Devant le regard interrogatif de l'Engoulant, il s'empressa de dire que sa mule était trop fatiguée pour repartir de sitôt. Tiercefeuille haussa les épaules. Après tout, ce n'était pas son problème. Omoa attendit que l'Engoulant ressorte pour se servir au tonneau de bière. La boisson était introuvable à Lur. Mais Omoa soupçonnait Froideneige de ne pas consommer que de la tisane lorsqu'il concoctait ses potions.

*
* *

Finn se gratta le mollet. Les herbes n'étaient pas seulement coupantes, elles étaient aussi urticantes. Tout pour plaire, cet endroit. Cette maudite plaine avait-elle une fin ? Finn avait passé une fort mauvaise nuit. Impossible, évidemment, d'allumer un feu dans cette prairie desséchée. Quant à y faire une couche confortable, c'était peine perdue ! Il ne lui restait qu'un morceau de pain dur. La gourde était presque vide. Pas une rivière, pas la moindre petite source à l'horizon. Le soleil tapait comme au milieu de l'été. Finn commençait à regretter d'avoir choisi de voyager vers le sud. Il observa le ciel désespérément bleu. C'était trop demander, un bel orage ? Si, au moins, les Vénérables lui avaient appris à faire pleuvoir. Pour ne plus penser à ses démangeaisons, à la soif, à la faim et à la fatigue, Finn se récita silencieusement les incantations du Langage. Après tout, il y en avait peut-être une qui allait marcher… Mais sans doute fallait-il comprendre le Langage pour qu'il opère.

Finn vérifia une nouvelle fois la position du soleil. Hélas, il ne pouvait pas être sûr d'être parti dans la bonne direction. Il n'avait jamais quitté le comté d'Anabé, lui ! Il ne connaissait rien à rien, c'était tragique. Ah tiens, si, ça, il connaissait… Finn se pencha. Pas de doute, c'était du gaillet vrai. Utilisé pour faire cailler le lait. Qu'est-ce qu'il ne donnerait pas pour un bout de fromage ! Soudain, Finn fit un tour complet sur lui-même.

– Mais, mais… dit-il à haute voix. Là, de la sauge des prés ! De la carline vulgaire ! Du plantain lancéolé ! Ce ne sont plus les mêmes herbes ! Plantain… Oui !

Il se précipita vers la plante et en arracha les feuilles. Il s'assit pour les frotter sur ses jambes toutes griffées.

– Merci, Maître Froideneige ! s'écria Finn.

Le plantain aiderait à la cicatrisation des plaies et lui éviterait les infections. Finn se mit à réfléchir à son avenir. Finalement, son passage à Lur allait peut-être se révéler plus utile qu'il ne l'avait cru. Un bon herboriste faisait un bon guérisseur. Un bon guérisseur était respecté et gagnait bien sa vie. Finn avait appris à cultiver les plantes et à préparer des remèdes. Le plus étonnant, c'était qu'il aimait ça !

Maintenant, il devait se trouver un petit coin tranquille, très éloigné de Lur et de ses Vénérables Sorciers. Le comté de Damalone, beaucoup trop proche, ne pouvait pas convenir. Mais Finn espérait que Chéramie l'hébergerait deux ou trois jours. Chez lui, il rencontrerait sûrement des gens qui avaient voyagé dans d'autres comtés. Il pourrait recueillir de précieuses informations. Chéramie était un brave garçon, il lui donnerait bien quelques vivres… En revanche, Finn ne pouvait pas lui faire confiance. Il ne devait en aucun cas lui expliquer les raisons de son départ de Lur. Il lui faudrait mentir, inventer une histoire crédible. Et pourquoi pas tout simplement lui dire qu'il était désormais un Maître Sorcier?

* * *

Chantepleure tomba de cheval pour la quatrième fois. Mais, ce coup-ci, il se mit à vomir en gémissant. Le Chef Barre Gris-Corbin détourna les yeux. Il avait déjà du mal à se tenir en selle, il n'avait pas besoin de ce charmant spectacle. Tiercefeuille soupira.

– Bon, la nuit sera bientôt là. Autant s'arrêter. Gris-Corbin, dresse le camp.

– Le camp ! ricana Gris-Corbin. On n'est que trois !

– Et alors ? répondit l'Engoulant. Ça n'empêche pas de faire les choses dans les règles de l'art ! Et, à ce propos, après, vous allez m'astiquer vos armes et brosser vos montures. Nous devons nous présenter devant le Grand Maître de Lur, et votre tenue me fait honte ! Chantepleure, quand tu auras fini de t'amuser, tu iras ramasser du bois pour le feu. Nous sommes la Confrérie guerrière, foutre catin !

– Ben, il n'y a plus de guerre depuis longtemps... dit Chantepleure en se relevant péniblement.

– Heureusement ! Des grands-mères avec des balais vous mettraient en déroute !

Régulièrement, Tiercefeuille prenait un coup de sang et houspillait ses troupes. Il leur faisait nettoyer le fortin de fond en comble, huiler toutes les armes qui ne servaient jamais, s'entraîner au combat rapproché et même natter les crinières des chevaux. Les Frères avaient l'habitude. Tiercefeuille se calmait au bout de quelques jours et les soldats retournaient à leur beuverie. Là, évidemment, c'était différent. Ils avaient une vraie mission à accomplir. Mais ils ne savaient pas ce que c'était.

– Qu'est-ce qu'il nous veut, le Grand Maître? demanda Gris-Corbin.

– Je ne pense pas qu'il ait l'intention d'attaquer un autre comté.

– Ben, c'est pas si sûr, dit Chantepleure. Peut-être qu'il veut qu'on parte en éclaireurs!

– J'ai rêvé ou je vous ai donné des ordres?

– Ben, t'as dû rêver, Engoulant, parce que je me souviens pas...

– Du bois pour le feu, foutre catin! hurla Tiercefeuille. Installer la tente! Nettoyer vos armes!

– Pas si fort... grimaça Chantepleure. J'ai un de ces mal de tête...

Le Chef Barre s'écarta prudemment. Tiercefeuille était irascible et on n'était jamais trop sûr de ses réactions. L'Engoulant balança une baffe sur le haut du crâne de Chantepleure et lui promit une sacrée migraine s'il ne se dépêchait pas d'obéir.

Une demi-heure plus tard, Tiercefeuille contemplait avec satisfaction la bannière rouge et verte de la Confrérie flottant au-dessus de la tente dressée. Gris-Corbin briquait le fourreau de son poignard avec assiduité. Chantepleure faisait frire du lard avec des pois cassés.

– Gris-Corbin, tu prendras le premier tour de garde. Je prendrai le deuxième.

– Et Chantepleure, il a le droit de dormir, lui ?

– Ben, j'ai besoin de récupérer...

– Tu feras le troisième quart, nom de nom !

– Mais on est trois, ça fait un tiers, pas un quart, dit Chantepleure.

– Un quart, ça signifie quatre heures de suite, abruti !

– Mais ça fait douze heures ? s'étonna Gris-Corbin après avoir compté sur ses doigts.

– On part à l'aube ! grogna Tiercefeuille. On fait des quarts de deux heures.

– Alors, c'est pas des qu...

Chantepleure se prit une nouvelle claque sur le haut du crâne.

– Engoulant... demanda Gris-Corbin, comment on sait qu'on a fait deux heures ?

Tiercefeuille frotta l'arête de son nez, le temps de se ressaisir.

– Bon, reprenons depuis le début... Gris-Corbin, tu me réveilles quand tu sens que tu vas t'endormir.

– C'est maintenant, répondit le Chef Barre.

Tiercefeuille le regarda bâiller, aussitôt imité par Chantepleure. Il n'y avait plus qu'une solution, de loin la meilleure : les chevaux allaient monter la garde.

*
* *

L'Engoulant se vengea en obligeant les Frères à galoper toute la matinée. Chantepleure avait le hoquet, au bord de la nausée. Tiercefeuille ralentit à l'approche de la gorge. Hommes et bêtes soufflèrent un peu.

– Je n'aime pas la couleur du ciel, dit Gris-Corbin.

– On va pas, hic, entrer là-dedans ? s'inquiéta Chantepleure.

– C'est le seul chemin, répondit Tiercefeuille. La faille est profonde mais elle n'est pas très longue. Si nous nous hâtons, nous devancerons la pluie.

– C'est quand même pas très prudent. Les orages peuvent éclater sans prévenir.

– En fin de journée, peut-être. Je ne crois pas qu'il y ait de risque pour le moment.

– Moi, je veux pas, hic, aller dans ce trou !

– C'est un ordre, foutre catin ! Et s'il y en a un qui cherche à se défiler, je lui transperce la panse avec mon badelaire ! C'est clair ?

– Te fâche pas, Engoulant, dit Gris-Corbin.

Tiercefeuille les invita à passer devant lui. La gorge était si étroite qu'il était impossible à un cheval de faire demi-tour. On pouvait, malgré tout, s'enfuir à pied. En fermant la marche, Tiercefeuille s'assurait que les Frères ne pouvaient pas s'éclipser en douce. Le Chef Barre, qui avait bien compris, protesta de son manque de confiance. Il n'obtint en retour qu'un ricanement cynique.

Gris-Corbin, le nez en l'air, pressa sa monture. La falaise était désespérément lisse. Où se réfugier si l'eau envahissait la faille ? Chantepleure criait toutes les cinq minutes qu'il avait senti une goutte de pluie. Tiercefeuille avançait tranquillement en mangeant du pain et du fromage. Puis il entama à pleins poumons une vieille chanson paillarde. Gris-Corbin déclara préférer se noyer que de supporter ça plus longtemps.

– Ah, cette fois, remarqua Tiercefeuille en s'essuyant le front, il pleut vraiment.

– On va mourir ! hurla Chantepleure.

– Je ne crois pas, annonça Gris-Corbin. Nous sommes arrivés au bout de la gorge.

– J'ai toujours raison, dit Tiercefeuille.

Gris-Corbin s'arrêta devant le pont, hésitant.

– C'est assez solide pour les bêtes, ça, Engoulant ?

– Vas-y, on aura la réponse.

Le Chef Barre ne trouva pas ça très drôle. Il descendit de son cheval pour le guider sur le petit pont. Les planches craquaient sous leurs pas. Mais ils traversèrent sans encombre. Chantepleure puis Tiercefeuille les suivirent.

– J'ai plus le hoquet, constata Chantepleure.

La porte de l'étable n'avait pas été verrouillée après le départ d'Omoa. Les Frères Guerriers entrèrent et furent accueillis par des mules inquiètes. Comme tout bon cavalier, Tiercefeuille décida de s'occuper d'abord du confort des chevaux. Le Grand Maître de Lur devrait attendre.

Chapitre 8
Le comté de Damalone

Finn dévora avec délice les fleurs jaunes et sucrées de salsifis des prés. Non seulement la plante était entièrement comestible, de la racine aux feuilles, mais elle indiquait aussi un sol plus humide. Ainsi, Finn suivait la piste des plantes, dans l'espoir qu'elle le mène vers un point d'eau. Alors que la journée touchait à sa fin, il découvrit un ruisselet d'eau claire et fraîche. Il y avait là des panais sauvages et du cresson de fontaine à profusion. Finn installa sa couverture sur la rive pour manger ce véritable festin.

Il n'y avait, alentour, ni maisons ni champs cultivés. Finn décida de longer le ruisseau. Tôt ou tard, il rencontrerait des habitations. Pour l'heure, il était épuisé. Il s'étendit sur le dos et contempla le ciel toujours bleu. Quel genre de vie l'attendait ? C'était à la fois excitant et inquiétant. Il s'endormit rapidement.

La rosée du matin le fit frissonner et il se réveilla. Le soleil pointait tout juste au-dessus de l'horizon. Une légère brume annonçait une nouvelle belle journée. Finn s'étira et commença par se mettre en chasse de plantes comestibles. Dès qu'il fut rassasié, il se mit en route. Il se sentait bien dans cette région. Dommage, vraiment, qu'elle fût si proche de Lur.

Le ruisseau s'élargissait, alimenté par d'autres cours d'eau. Finn aperçut au loin des moutons et des chèvres qui paissaient librement. À l'approche de midi, Finn arriva enfin devant un modeste village de quelques maisons. Il héla une petite fille qui jouait sous les arbres.

– Bonjour ! Tes parents sont dans le coin ?

L'enfant le regarda avec de grands yeux ronds et tendit le bras sans parler. Finn la remercia d'un sourire. Dans une courette, une femme barattait énergiquement. Finn saliva en pensant au bon beurre que la crème allait devenir. Elle tourna la tête à son approche.

– Salutations, étranger !

– Salutations. Je suis étranger, en effet... Je

voyage depuis fort longtemps. Des semaines. Dites-moi, je suis dans le comté de Damalone, n'est-ce pas ?

– Oui, bien sûr !

– Parfait ! Je cherche quelqu'un. Son nom est Chéramie.

À la grande stupéfaction de Finn, la femme se mit à appeler « Chéramie » de toutes ses forces. Un homme sortit de la maison.

– Qu'y a-t-il ?

– Ce garçon te cherche.

– Ah, non, non ! s'exclama Finn. Il y a erreur ! Ce n'est pas vous !

– Il n'est pas d'ici, dit la femme en riant.

– Tout s'explique ! répondit Chéramie aussi joyeusement.

– Mais je ne comprends pas…

– Tous les hommes s'appellent Chéramie dans le comté !

– Ce n'est guère pratique, constata Finn. Comment vais-je retrouver mon camarade, moi ?

– Ben, ça dépend… Est-ce que c'est CHÉ-ramie ou Ché-RA-mie, Chéra-MIE, CHÉRA-mie, Ché-RAMIE ou CHÉ-ra-MIE ?

– Quelle différence ?

– Eh ben, suivant l'intonation, on peut savoir de quelle famille il s'agit.

– J'en sais rien, moi ! se désespéra Finn. Ah, attendez ! Il a une fabrique de pots !

– Vous voyez le bâtiment, là-bas ? C'est notre fabrique de pots. Tout le monde fait des pots dans le comté de Damalone !

– Vous le faites exprès, soupira Finn.

– Bon, il y a bien une solution… Réfléchissez, comment s'habille votre Chéramie ? Les boutons de sa tunique sont-ils à droite ou à gauche ?

– Mais je ne fais pas attention à ces choses-là !

– La longueur des pantalons ? Au-dessous du genou, à mi-mollets ou aux chevilles ? Avec une fente en bas ? À l'intérieur, à l'extérieur, devant ou derrière ?

– Je n'en ai pas la moindre idée !

– On va y passer du temps, dit la femme. Venez déjeuner avec nous, c'est l'heure.

– Ah bah, merci. C'est vraiment très gentil de votre part.

La femme de Chéramie s'appelait Chérama et sa fille, Chérama… Ou, plus exactement, CHÉ-rama puisqu'on était dans la famille des CHÉ-ramie. Ils portaient leurs pantalons à mi-mollets avec une fente derrière. En dehors de ça, les CHÉ-ramie tartinaient leur pain avec du beurre, contrairement aux Ché-RAMIE, qui mangeaient d'abord le pain et après le beurre. Quant à la soupe, chacun faisait comme il voulait.

– Et les cheveux ? demanda Chérama. Courts, longs ou rasés ?

– Pas rasés, ça, j'en suis sûr.

– Alors, ce n'est pas Chéra-MIE ! Vous voyez, avec nous, ça fait déjà deux familles que nous pouvons éliminer !

Finn s'en réjouit bruyamment et se resservit plus discrètement du fromage de brebis.

– Ah, mais j'y pense, dit-il brusquement. Mon Chéramie à moi était destiné à devenir sorcier.

– Vous auriez pu commencer par là ! s'exclama Chérama.

– Victoire ! s'écria son mari. C'est un Ché-RAmie !

– Parfait. Et où puis-je le trouver ?

– En continuant la route. Une bonne journée de marche. Mais restez donc avec nous ce soir, Finn. Vous partirez à l'aube.

– Comment pourrais-je refuser si charmante invitation, Chérama ?

– CHÉ-rama.

*
* *

Le Grand Maître Dystar était un être calme et patient. Il le fallait pour avoir attendu pendant seize ans que Finn vienne à Lur ! Mais de regarder les Frères Guerriers mettre à mal sa réserve de saucisses était au-dessus de ses forces.

– Je m'en voudrais de vous presser... dit-il d'une voix doucereuse.

– Il va faire nuit, répondit aussitôt Tiercefeuille.

– Pas avant une heure au moins. La piste laissée par Finn va disparaître complètement si vous traînez davantage.

– Vénérable, il pleut. Si traces il y avait, elles ont déjà disparu !

– Peut-être, mais Finn prend de l'avance sur vous.

– Nous le rattraperons, affirma Tiercefeuille.

– Vous n'auriez pas de la bière ? demanda Chantepleure.

– Oui, pour faire glisser les saucisses, ajouta Gris-Corbin. Elles sont bonnes mais un peu grasses.

– Non, je n'ai pas de bière ! s'exclama Dystar. Ce n'est pas une taverne, ici !

– Pardonnez-leur, Vénérable, dit Tiercefeuille,

ce sont des rustres. Au fait, est-ce que vous avez des chambres ?

– Voyez ça avec le servant, répondit Dystar en se levant. Vous m'excuserez, j'ai des obligations.

Le Grand Maître quitta le réfectoire et se rendit à la bibliothèque. Le Vénérable Viren Majus était arrivé au début de l'après-midi et n'avait rien trouvé de mieux à faire que d'aller se coucher. Dystar avait chargé Copiraille de le réveiller. Les cinq Maîtres Sorciers de Lur devaient discuter sérieusement. On avait appris la fuite de Finn à Islip avec ménagement, vu son âge canonique. Froideneige lui avait préparé une infusion de valériane pour soigner ses nerfs. Mais le pauvre vieillard ne s'en remettait pas.

– J'espère que vous avez bien dormi, Vénérable, persifla Dystar.

– Mon périple a été fort fatigant ! protesta Viren Majus. Vous n'avez pas idée du nombre de mariages auxquels il m'a fallu assister ! Et tous ces banquets... Froideneige, si vous pouviez me concocter une de vos potions pour l'estomac...

– On ne s'est pas réunis pour parler de vos problèmes de digestion, remarqua Copiraille d'un ton acerbe.

– Vénérables, je vous en prie ! intervint Froideneige. Nous n'allons pas nous chamailler comme des enfants !

– Vous avez raison, dit Dystar. Les Frères Guerriers sont prêts à partir dès demain mais, à la réflexion, je ne sais pas si on peut vraiment leur faire confiance...

– Évidemment que non ! s'exclama Copiraille.

– Vous voulez pourchasser Finn vous-même ? demanda Froideneige. Parce que, moi, je ne vois pas d'autre solution.

– Le Maître Devin pourrait faire une prédiction, suggéra Islip.

Un long silence suivit. Puis Copiraille et Froideneige furent pris de fou rire. Le visage de Viren Majus devint tout rouge.

– Ça n'a rien de drôle !

– Non, en effet, admit Dystar. Pourquoi ne pas essayer ?

– On est désespérés à ce point-là ? ricana Froideneige.

– Mais à quoi ça pourrait bien nous servir ? s'enquit Copiraille plus sérieusement.

– À déterminer le destin de Finn, répondit Viren Majus. Ce faisant, nous pourrions deviner ses intentions.

– Je ne crois pas qu'il ait la moindre intention, dit Froideneige. Hormis s'éloigner de la forteresse.

Dystar fronça les sourcils et hocha la tête pensivement.

– Ce n'est pas si sûr… s'il comprend le Langage. Il est peut-être en quête de quelque chose.

– De quoi ? demanda Froideneige.

– C'est là que vous avez besoin de moi, rétorqua Viren Majus. Vous ne riez plus, Vénérable ?

– Combien de temps vous faut-il pour les préparatifs ? s'informa Dystar.

– Ce n'est pas une question de temps. Ce qu'il me faut, ce sont des ingrédients. Une racine de mandragore et un plant de millefeuille, si le Maître Herboriste veut bien me les fournir… Ah, et quelques graines de carvi.

– Mandragore et millefeuille, je comprends, dit Froideneige, mais qu'est-ce que vient faire le carvi ? Ce n'est pas une plante liée à la divination !

– C'est pour mes flatulences.

– Vous ne voulez pas un sacrifice humain ? demanda Copiraille. Nous avons trois Frères Guerriers sous la main. Ils pourraient être enfin utiles !

– Je ne pratique pas ce genre de choses. C'est pour les barbares ignorants.

L'humour n'était pas le fort du Maître Devin. En certaines circonstances, ce n'était pas non plus le fort du Grand Maître de Lur. Il intima l'ordre aux Vénérables d'aider Viren Majus. La divination se pratiquait à l'extérieur, sur une esplanade accessible par le chemin de ronde. Froideneige, plus costaud que les autres, se chargea de l'imposant chaudron en cuivre. L'objet était si vieux que sa couleur d'origine avait disparu sous une pellicule verdâtre. Viren Majus prétendait que le chaudron avait été façonné par Gravatte l'Ancien lui-même. Un des rares Maîtres Sorciers cités dans les *Chroniques de Lur* dont la réelle existence était incontestable.

Copiraille apporta l'eau du puits. On dut attendre Islip, qui mit plus d'un quart d'heure à monter les escaliers. Il se plaignit que la pluie était mauvaise pour ses rhumatismes. Froideneige se dévoua pour redescendre lui chercher une cape en laine. Dystar ferma la porte en fer qui condamnait le chemin de ronde. La cérémonie était secrète, et deux précautions valaient mieux qu'une.

Viren Majus leva les bras au ciel et déclama des incantations. L'étrange musique du Langage se répercuta sur la falaise. L'écho mélangea les sons, rendant plus mystérieux encore les mots incompréhensibles de l'invocation. Même le cynique Copiraille était impressionné.

Le Maître Devin prit les gourdes et versa l'eau dans le chaudron. Il y ajouta la millefeuille, qu'il réduisit d'abord en poussière entre ses paumes. Puis, avec une dague en argent, il s'entailla le pouce. Il enduisit la racine de mandragore de son sang puis la jeta dans le chaudron. Il saisit ensuite le long bâton symbole de sa fonction et le plongea dans l'eau. Il le fit tourner rapidement, créant un tourbillon. C'était dans le mouvement qu'il lisait l'avenir.

Sauf qu'il n'y avait rien à lire. Viren Majus se concentra, penché sur le chaudron.

– Eh bien ? s'impatienta Froideneige.

Il reçut en retour le regard courroucé du Vénérable Dystar. Mais, au bout de quelques minutes, le Grand Maître perdit lui aussi patience et exigea une prédiction. Viren Majus ne savait pas comment se sortir de pareille situation. Devait-il avouer qu'il ne voyait rien ?

– C'est trouble… commença-t-il prudemment. Le… le destin de Finn n'est pas clair.

Puis, sentant que Copiraille et Froideneige n'allaient pas laisser passer si belle occasion de se moquer de lui, il déclara fermement :

– Finn est dans un cercle de protection. Cela m'empêche de deviner son avenir. Je n'ai vu cela qu'une seule fois auparavant. J'étais un jeune sorcier et j'assistais Maître Kuzu Dambar.

– Le Devin Supérieur de T'Noor? demanda Dystar. Mais alors...

– Oui, répondit Viren Majus. Ce fut lors de cette cérémonie-là.

– Excusez-moi, dit Copiraille. Pourrait-on savoir de quoi il est question?

– Ce n'est pas possible! s'écria brusquement Islip. La conspiration des Horrigans de Marlane!

– Je n'ai jamais aimé ce terme de conspiration, répliqua Viren Majus. Il n'est en aucun cas justifié. Il s'agissait, tout au plus, d'une coalition des Maîtres Sorciers de Marlane.

– Les Horrigans sont des dissidents, protesta Islip. Ils ne méritent pas le titre de Maîtres Sorciers.

– Certains Vénérables se sont pourtant ralliés à eux, rétorqua Viren Majus. Le Devin Supérieur de T'Noor n'étant pas des moindres! Miricaï refusait de partager son savoir. La divination était un moyen de percer son secret.

– Vous pensez ce que vous voulez, reprit Islip. J'estime, pour ma part, qu'aucun Maître Sorcier n'a le droit d'utiliser ce genre de méthode à l'encontre de l'un des siens.

– Miricaï s'est exclu lui-même, reconnaissez-le !

– Nous n'allons pas refaire l'histoire, intervint Dystar. Ce qui est fait est fait.

– Si j'ai bien compris, dit Froideneige, la cérémonie de divination a échoué parce que Miricaï se protégeait par une aura magique. Et donc, Finn...

Viren Majus acquiesça et compléta la phrase :

– ... est sous la garde de son père.

Chapitre 9
Des pots, des pots, des pots…

Finn quitta à regret le village des CHÉ-ramie. Il ne partit pas les mains vides. Chérama lui donna un pain de fougère et du fromage de brebis pour le voyage. Les gens n'étaient pas aussi généreux dans le comté d'Anabé. Il était vrai que le sol était beaucoup plus riche et le climat plus clément à Damalone. Finn avait déjà oublié que les habitants de Gobardon les avaient nourris et entretenus, lui et sa mère, durant seize années.

Le chemin serpentait à travers les champs et les pâturages. Le paysage était légèrement vallonné, verdoyant et bocager. Une multitude d'oiseaux nichaient dans les haies. Finn avait de moins en moins envie de s'aventurer plus loin. La proximité de Lur était, malheureusement, une menace bien réelle.

De nombreuses sentes rejoignaient la route. On voyait nettement les traces de roues de charrette et les pas des chevaux dans la terre. La voie s'élargissait. De toute évidence, elle était fort fréquentée, même si Finn n'avait encore croisé personne. À l'horizon s'élevaient des fumées bleutées. Finn ne s'en étonna pas car il avait vu fumée semblable chez les CHÉ-ramie. C'était celle de la fabrique de pots. Il avait appris que la famille des Ché-RA-mie était importante et possédait de nombreuses fabriques. Finn se demandait ce qu'ils pouvaient bien faire de tous ces pots… Il n'avait pas osé poser la question. Il avait remarqué la quantité effarante de pots dans la maison de CHÉ-ramie. Des grands, des petits, des gigantesques, des minuscules, des ronds, des allongés, des noirs, des bruns, des blancs, des avec bec, des sans bec, des avec couvercle, des sans couvercle, des avec anse, des sans anse, des décorés, des sans rien… Certains étaient utilisés, d'autres apparemment ne l'étaient pas.

Finn était également surpris de la confiance totale dont semblaient témoigner ces gens. Leurs bêtes paissaient librement et n'étaient pas gardées. Il n'y avait pas de prédateurs dans le comté. Mais ils auraient pu craindre les voleurs ou des jaloux malintentionnés. Ici, tout le monde était sur un plan d'égalité. Il n'y avait ni pauvres ni riches, juste ceux qui avaient plus de pots.

Vers la fin de l'après-midi, Finn rencontra enfin quelques habitants. Tous le saluèrent avec bienveillance. Finn discuta brièvement avec l'un d'eux. C'était un CHÉRA-mie qui portait ses pantalons aux chevilles avec une fente devant. Sa spécialité était les pots vernis avec deux anses et un couvercle. Il argumenta que c'étaient les meilleurs. En effet, avec DEUX anses, peu importait comment était posé le pot : on trouvait toujours une anse du bon côté. Et le couvercle ? On avait le choix de le laisser OU de l'enlever. Finn prétendit réfléchir sérieusement puis admit qu'effectivement cela était judicieux. CHÉRA-mie lui confirma qu'il était bientôt arrivé à destination et s'éloigna, le cœur content.

Le village de Ché-RA-mie imposait par sa dimension. Finn n'en avait jamais vu d'aussi grand. Il ignorait même que cela existât. Il y avait des échoppes et des tavernes tout au long de la rue principale. Dans le comté d'Anabé, on pratiquait surtout le troc. Finn s'arrêta devant une officine d'apothicaire où il venait d'apercevoir un acquéreur échanger un petit cylindre gris contre un flacon.

– Que puis-je pour vous ? demanda l'apothicaire.

– Rien, en vérité. Je suis simplement intrigué… Qu'est-ce que ceci ?

L'apothicaire regarda sa main, qui tenait encore le mystérieux objet.

– Ça ? C'est une barrette d'argile.

– À quoi cela vous sert-il ?

L'homme parut abasourdi et mit longtemps avant de répondre.

– C'est pour acheter.

– Avec de l'argile ? Je ne comprends pas.

– Mais voyons ! dit l'apothicaire. Avec vingt barrettes comme celle-ci, je peux faire un pot de cette taille-là à peu près…

– Pourquoi vous n'allez pas chercher vous-même de l'argile ?

– Je tiens une boutique, jeune homme. Je n'en ai pas la possibilité.

– Et vous faites vos pots ?

– Bien sûr que non ! s'écria l'apothicaire. Je porte l'argile à la fabrique et je commande ce que je désire. Pour un pot coûtant vingt barrettes, j'en paie une. Pour un pot à couvercle, il faut bien compter trois ou quatre suivant la grandeur et pour…

– Merci, je crois que j'ai saisi le principe! le coupa Finn avant qu'il ne lui parle d'anse ou de couleur de vernis. Un dernier renseignement: où pourrais-je trouver les Ché-RA-mie dont le fils aîné était destiné à devenir sorcier?

– Oh... C'est un sujet qu'il vaut mieux ne pas aborder.

– Pourquoi?

– Patriarche Ché-RA-mie n'a pas encore digéré l'échec de son fils. Pauvre garçon! Ce n'est pas sa faute. Mais que voulez-vous? Il n'y a plus eu de sorciers dans la famille depuis des lustres! Patriarche espérait vraiment que cette fois-ci... Enfin! C'est ainsi! Continuez la rue. Vous ne pouvez pas vous tromper: leur fabrique est la plus importante. Ils ont cinq fours, vous savez. Et dix-sept tours de potier!

– J'en suis tout ému, répondit Finn.

Il salua l'apothicaire et poursuivit son chemin. De bonnes odeurs de viande rôtie flottaient autour des auberges. L'estomac de Finn grogna. Le pain de fougère et le fromage, c'était bien, mais rien ne valait une poularde! Affamé, Finn pressa le pas. La journée de travail tirait à sa fin, et les potiers sortaient des bâtiments. Finn repéra les cinq cheminées et se présenta à la porte. Il eut le vertige devant la quantité de pots soigneusement alignés sur des étagères. Ils étaient très gentils, les Chéramie, mais ils étaient complètement fous !

– Finn ! Ça alors ! Finn !

– Chéramie ! Mon vieux camarade !

Finn se précipita vers le jeune garçon, les bras grands ouverts. Chéramie semblait vraiment très heureux de le revoir.

– Pour une surprise, c'est une surprise, dit Chéramie. Que fais-tu à Damalone ?

– Eh bien, répondit Finn d'un air sérieux, en souvenir des moments que nous avons passés ensemble, j'ai décidé de commencer mon voyage par ton comté.

– Ton voyage ? répéta Chéramie.

– Tous les sorciers voyagent.

Finn lui laissa le temps de comprendre.

– Mais… tu es un Maître Sorcier, maintenant ?

– Je n'en suis qu'à mes débuts, dit Finn modestement. Les Vénérables n'avaient plus rien à m'apprendre. Je dois parfaire mon éducation tout seul. C'est ainsi. Et toi ? Tu es content d'être rentré chez toi fabriquer, hum, des pots ?

– Tu sais, ce sont les potiers qui les font. Moi, je suis le propriétaire. Enfin… c'est mon père pour le moment. Mais après, ce sera moi. Je m'occupe des commandes. Ce n'est pas si facile. Il ne faut pas se tromper.

– Je m'en doute. Ça serait embêtant si tu faisais fabriquer un pot avec deux anses alors que le client n'en voulait qu'une !

– C'est exactement ça ! s'émerveilla Chéramie. Comment le sais-tu ?

– J'ai eu le temps de m'informer.

– Viens avec moi dans ma maison. Je vais te présenter à mon père.

Finn ne demandait pas mieux. Étant donné l'heure, on allait sûrement le garder à dîner et lui offrir une chambre. La demeure de Chéramie était attenante à la fabrique. C'était une belle bâtisse d'un étage, construite en carré autour d'une courette pavée. Finn s'étonna qu'il y ait autant de monde. Chéramie lui expliqua que tous ses oncles et ses tantes ainsi que ses cousins vivaient auprès de Patriarche Ché-RA-mie.

– Mon père est encore un peu fâché que j'aie échoué, dit-il. Si tu pouvais lui glisser quelques mots en ma faveur…

Finn lui promit d'essayer. Dans la grande salle du rez-de-chaussée, plusieurs femmes s'affairaient en riant autour d'une gigantesque table de bois massif. Finn saliva en apercevant les mets qu'elles apportaient. Elles devinrent silencieuses à l'arrivée de Finn.

– Voici Maître Finn, annonça Chéramie d'une voix forte.

C'était la première fois que Finn s'entendait appeler comme ça. C'était bizarre mais il pensa que ça sonnait plutôt bien... Il se redressa instinctivement et salua de la main comme s'il les bénissait. Une gamine se mit à pouffer. Finn en fut très vexé.

– Qu'y a-t-il, ici ?

Finn se retourna. Il était facile de deviner que cet homme aux cheveux gris (pantalons longs, pas de fente) était Patriarche Ché-RA-mie.

– Père, c'est mon ami qui vient de Lur. Maître Finn.

– Salutations, dit Finn à la mode de Damalone. Que votre foyer soit protégé de toutes calamités.

– Vous paraissez bien jeune pour un Vénérable, remarqua Patriarche, peu impressionné.

Finn se félicita alors d'avoir bien écouté les enseignements de Maître Islip.

– Vous avez raison, répondit-il sans se démonter. On ne devient Vénérable que lorsqu'on a choisi sa charge. Ça ne se décide pas tout de suite. Néanmoins, je songe à devenir Maître Herboriste. C'est le voyage qui détermine la charge. Cela peut prendre des années !

– Vous avez un remède contre les migraines ? demanda une des Ché-RA-ma. J'en souffre depuis très longtemps…

– Frottez-vous les tempes avec de l'essence de basilic, recommanda Finn, et buvez tous les soirs une tisane de camomille.

Son assurance fit beaucoup d'effet, y compris sur Patriarche. L'homme, d'ailleurs, était brave mais il avait de lourdes responsabilités et se devait d'être parfois sévère. Il ordonna que l'on apporte du vin de sorbes en l'honneur de leur invité.

Le dîner fut un sommet de l'art culinaire. Jamais auparavant Finn n'avait aussi bien mangé ni peut-être autant. Pintades, oies et perdrix défilèrent, accompagnées de purée de cenelles et de sauce à l'armoise. Vinrent ensuite les fromages de brebis et de chèvre, à l'ail ou aux herbes, avec la salade de lampsane et de chicorée aux baies de sureau noir. Et, délice des délices, des beignets de fleurs de spirée…

Finn ne but que très peu de vin de sorbes. Il le regrettait car il était délectable. Mais l'alcool montait vite à la tête et il lui fallait être prudent. Il se rattrapa sur le thé de ronce et de cassis au subtil parfum de rose.

– Maître, pourrez-vous prononcer une incantation de protection sur notre fabrique de pots ? demanda Patriarche, presque timidement.

– C'est bien évident, répondit Finn. Demain matin. J'ai marché toute la journée, je suis épuisé.

– Je manque à tous mes devoirs ! s'exclama Patriarche. Ché-RA-ma ! Non, pas toi, elle... Va vite préparer un lit dans la salle bleue.

– La salle bleue ? s'étonna l'interpellée.

– C'est le moins que l'on puisse offrir à un Maître Sorcier.

Finn bâilla ostensiblement. Il commençait à en avoir assez de faire la conversation en prenant garde à chacun de ses mots. C'était exténuant de prétendre être ce que l'on n'était pas. Quelques instants plus tard, Ché-RA-ma revint annoncer que la couche était prête. Finn se leva aussitôt, salua cérémonieusement Patriarche et félicita les femmes pour leur excellente cuisine. Elles se confondirent en remerciements. Il les aurait délivrées d'un dragon qu'elles n'auraient pas montré plus de reconnaissance.

Chéramie conduisit Finn à l'étage. Le jeune garçon était heureux. Finn avait rapporté à son père que les Vénérables de Lur tenaient Chéramie en haute estime et qu'ils avaient maintes fois cité en exemple son courage et son assiduité au travail. Hélas, n'est pas sorcier qui veut... Il fallait accepter le destin qui était le sien.

Finn poussa un « oh ! » de contentement en découvrant la salle bleue. On savait aussi fabriquer de magnifiques carrelages à Damalone. Celui-ci était, logiquement, d'un beau bleu sombre éclairé d'arabesques blanches. Il y avait des pots partout comme on pouvait s'y attendre. La couche avait été installée au centre de la pièce, couverte d'un drap de lin fin et garnie d'une multitude de coussins. Si Finn n'avait pas été aussi fatigué, il aurait compris qu'elle avait été transportée là tout spécialement pour lui. Chéramie lui souhaita une bonne nuit et le laissa seul.

Finn fit le tour de la salle. On avait pensé à lui apporter une cruche d'eau et un bassin pour sa toilette. Il se débarbouilla le visage avec plaisir. Sur une étagère au milieu d'un mur trônait un large pot d'une blancheur immaculée avec une anse. Finn apprécia la délicate attention. Il l'apprécia même deux fois dans la nuit grâce au thé de ronce et de cassis dont il avait légèrement abusé.

*
* *

Un rayon de soleil vint taquiner Finn. Il grogna et se couvrit la tête avec un coussin. Il ne put se rendormir car on frappait à sa porte avec insistance. Il se leva à contrecœur. Craignant d'avoir affaire à une Ché-RA-ma, il ne fit qu'entrouvrit la porte car il était à moitié nu.

– Salutations, dit Chéramie. Oh... je t'ai réveillé. Mais tu te souviens ? Hier, mon père t'a demandé une incantation de protection.

– Il n'est pas utile de faire ça à l'aube, protesta Finn.

– Oh, bien sûr ! Mais la cérémonie demande des préparatifs. Je suis venu chercher le Pot sacré.

Finn resta interdit. Chéramie attendait, souriant. Puis, comme Finn ne réagissait toujours pas, il précisa :

– C'est un large pot blanc avec une anse. Il est isolé sur l'étagère du mur nord.

Finn se racla la gorge et, instinctivement, ramena

le battant de la porte un peu plus vers lui. Il avait laissé par terre ce qu'il avait pris pour un pot de chambre.

– Oui, hum, oui... Justement... Le matin, je dois lancer un appel magique. Un pot sacré ? Vraiment ? Comme c'est intéressant ! Je crois qu'il faut que je lui réserve mon appel du matin. C'est... heu, eh bien, tout particulièrement réservé aux objets de ce genre.

– Ah ! fit Chéramie, impressionné. Que dois-je faire ?

– Rien du tout ! C'est... secret. Hum. Laisse-moi seul quelques instants que je... bénisse le pot.

Et il referma la porte au nez de Chéramie. Il l'avait « béni » deux fois pendant la nuit, le Pot sacré ! Dire que, avec tous les Chéramie qui lui avaient cassé les pieds avec leurs histoires de pots, il n'y en avait pas eu un pour mentionner le Pot sacré ! Maintenant, il fallait qu'il trouve vite une solution. Il se mit à chantonner une litanie en Langage au cas où Chéramie serait toujours à proximité. Bon, où vider le pot ? Il jeta un œil par la fenêtre. Il n'y avait trop de monde dans la cour. La cruche et le bassin ? Difficile. D'une part, il y avait de l'eau, d'autre part, l'urine sentait fort. Finn maudit la purée de cenelles qui en était responsable. Évidemment, il y avait tous les autres pots. Mais comment être sûr qu'ils n'étaient pas, eux aussi, vénérés pour une raison ou pour une autre ? Restait le lit... Finn soupira. Mieux valait passer pour un incontinent que pour un profanateur d'objets sacrés.

Il versa l'urine sur la couche et nettoya le pot dans le bassin. Puis il l'essuya avec le drap de lin. Au point où il en était... Il prit le temps de s'habiller pour se calmer les nerfs. Lorsqu'il ouvrit la porte, Chéramie était toujours là, les yeux brillants. Finn lui tendit le Pot sacré avec le plus grand respect.

– Maître... dit Chéramie, j'ai entendu...

– Quoi ? s'affola Finn.

– L'incantation. Je... je n'aurais pas dû ?

– Ah, ça... Non, non, ce n'est pas grave.

Finn tira la porte derrière lui en espérant que personne n'allait entrer dans la salle bleue dans l'immédiat. On les attendait dans la fabrique. Finn fut sidéré de voir tant de monde s'y presser. Un « aaaaaaaah ! » de satisfaction parcourut la foule. Chéramie donna le pot à son père. Celui-ci l'éleva au-dessus de sa tête.

– Gloire à nos ancêtres ! déclama Patriarche. Gloire au créateur du Pot sacré !

– Oui, gloire ! répondit la foule en écho.

Patriarche invita Finn à le rejoindre. Les gens du fond se dressaient sur la pointe des pieds pour l'apercevoir. Ils croyaient vraiment qu'il était sorcier ! Finn essaya de se souvenir de l'attitude de Dystar pendant la fête du Wex. Il prit un air digne et détaché, néanmoins souriant. Patriarche voulut lui remettre le pot mais Finn déclina l'offre.

– Je l'ai déjà béni, expliqua-t-il. La protection concerne la fabrique.

Puis il porta les mains à hauteur de sa poitrine, les paumes tournées vers l'extérieur. Les paupières à moitié closes, il murmura une des incantations qu'il avait apprises. Finn se sentait transporté par le Langage. Sa propre voix lui était étrangère comme si quelqu'un d'autre parlait par sa bouche. Il ne comprenait pas ce qu'il disait et pourtant... il avait la certitude qu'il prononçait bien une incantation de protection. D'ailleurs, pourquoi avait-il choisi celle-là parmi toutes celles qu'il connaissait par cœur ?

Quand il eut fini, il remarqua d'abord le silence. Chéramie le regardait d'une drôle de manière. Patriarche s'inclina devant lui et tout le monde l'imita !

– Maître, dit Patriarche, nous vous remercions humblement.

– Je vous en prie.

Il y eut un mouvement dans la fabrique. Il était l'heure de se mettre au travail. Finn suivit Chéramie dans l'espoir d'un bon petit déjeuner.

– Tu es devenu muet ? s'étonna Finn.

– Maître, je n'avais jamais assisté à une telle chose.

– Ah bon ? Aucun sorcier n'est venu ici auparavant ?

– Oh si ! Mais… je ne sais pas comment dire… Les Vénérables, ils sont toujours pareils à eux-mêmes. Toi, c'était comme si tu étais soudain quelqu'un d'autre. Je l'avoue, ça m'a fait presque peur !

– Je crois que les Vénérables sont transformés par des décennies de pratique magique, répondit Finn après réflexion. Moi, je commence tout juste. Le jeune Finn que j'étais est encore un peu là. Je suppose qu'il va disparaître avec le temps.

– C'est possible mais les Vénérables ne changent pas de voix comme tu l'as fait ! La tienne est devenue rauque et bizarre. Ça m'a fait penser à… au grondement du tonnerre quand l'orage est très loin.

Finn n'avait donc pas eu qu'une impression. Chéramie avait, lui aussi, constaté une différence. Finn ne voyait aucune explication au phénomène. Le Langage sonnait très étrangement. Cela suffisait, peut-être, à modifier sa façon de parler.

Finn chassa son trouble en se mettant à table. Rien de tel que de la confiture d'angélique pour retrouver sa bonne humeur.

– Pourquoi votre pot est-il sacré ? demanda Finn.

– Un de mes ancêtres a fabriqué ce pot. Il a réussi à obtenir un blanc immaculé à la cuisson. On n'a jamais pu reproduire un blanc aussi parfait. Mon ancêtre est mort aussitôt après. Il a emporté son secret dans la tombe.

Finn aperçut deux jeunes Ché-RA-ma qui discutaient en regardant de son côté. Il devina sans peine que l'une d'elles avait dû s'occuper de son lit. Le rouge lui monta aux joues. Il ne risquait pas de les séduire, celles-là !

– Je... je dois me recueillir un instant, dit Finn en se levant.

Chéramie ne posa pas de questions. Finn regagna la salle bleue. La couche avait, effectivement, été défaite. Il n'allait pas falloir longtemps pour que tout le village soit au courant. On le prendrait pour un cochon. Il n'était pas sûr de pouvoir l'assumer. Il vit que l'on avait remis le Pot sacré à sa place. Il s'en approcha. C'était vrai qu'il était «sacrément» blanc… Finn le prit pour le tourner vers la lumière, intrigué par une ombre à l'intérieur. NON! Ce n'était pas une ombre! La moitié inférieure du pot avait viré au jaune très pâle. La démarcation était nette. Finn mouilla son doigt dans l'eau du broc et frotta frénétiquement. La couleur ne partait pas.

Finn reposa le pot en tremblant. Maintenant, c'était clair: il ne pouvait pas rester dans les environs. Tôt ou tard, quelqu'un découvrirait le désastre. Et on aurait vite fait de faire le lien avec lui. On l'accuserait d'avoir lancé une malédiction. Et ça finirait mal…

Finn rassembla ses affaires. Comment s'enfuir en plein jour? Il alla jusqu'à la fenêtre. Il soupira. Il y avait des gens partout. Impossible de filer en douce. Quoique… Finn observa attentivement le toit de la maison qui surplombait celui d'une auberge.

Finn cessa de réfléchir. Il passa ses besaces autour de son cou, ouvrit la fenêtre et l'enjamba. Il saisit la gouttière et grimpa. Personne, en bas, ne l'avait remarqué. À demi courbé, il marcha sur les tuiles. Arrivé au bout du toit, il se redressa et sauta d'une hauteur d'au moins deux mètres. Heureusement pour lui, la rue était animée. On n'entendit pas le bruit sourd de sa chute. Il se laissa glisser le long du mur de l'auberge et atterrit dans une ruelle étroite et déserte.

Il s'échappa par les petites allées à l'arrière des échoppes et des tavernes.

Chapitre 10
De taverne en auberge

Le serviteur des cuisines apporta son petit déjeuner à Maître Dystar. Il le trouva plongé dans un grimoire.

– Vénérable ? Puis-je ?

– Oui, oui... Les Frères Guerriers sont-ils enfin partis ?

– Oui, Maître. Et ce n'est pas dommage. Ils ont mis ma cuisine à sac. Je n'ai plus une seule saucisse !

Maître Dystar eut une expression dépitée en voyant son omelette nature.

– Vénérable, pourrais-je m'entretenir un instant avec vous ? Dès qu'il vous sera possible, bien entendu.

– Je vous écoute, Trago.

– Je n'ai plus de nouvelles de mon père depuis des semaines. Vous n'ignorez pas que je l'ai quitté malade. Je suis très inquiet. Oserais-je vous demander la faveur de rentrer chez moi ? Je ne serai absent que quatre ou cinq jours. Un des servants peut s'occuper de la cuisine à ma place. Et, hum, j'en profiterai pour acheter des saucisses aux baies de genièvre.

Le visage sévère de Dystar s'éclaira.

– Ah, oui ! Bien, bien... Vous n'avez plus d'étudiants à nourrir, alors je ne vois pas d'inconvénient à ce que vous partiez. J'espère que vous trouverez votre père en meilleure santé.

– Merci infiniment, Vénérable.

Le serviteur le salua en s'inclinant jusqu'à terre. Dystar tapota le livre ouvert. Il n'y avait trouvé aucune réponse à ses questions. Pas plus dans celui-là que dans un autre... Si seulement il pouvait comprendre un tant soit peu les *Actes* de Gravatte l'Ancien ! Cette manie qu'avaient les Vénérables Érudits d'écrire dans cette espèce d'amphigouri de Langage et de dialecte antique ! Bien sûr, c'était volontaire : il ne fallait pas que n'importe qui puisse les lire. C'était réussi. Plus personne ne pouvait !

Dystar repensa à la cérémonie de la veille. Froideneige et Copiraille doutaient des talents de devin de Maître Viren Majus. Malgré tout, même eux avaient été impressionnés sur le moment. Plus tard,

Copiraille s'était entretenu avec le Grand Maître. Il admettait que la divination était un art difficile et que Viren Majus ne s'en sortait pas plus mal qu'un autre. Néanmoins, son jugement était réservé. Comment Miricaï pouvait-il protéger son fils par un cercle magique ? Il n'y avait même pas la moindre preuve qu'il eût jamais vu Finn. Était-il possible qu'une aura de protection apparaisse dès la naissance, voire dès la conception d'un enfant ? Si c'était le cas, Finn était-il destiné à être *plus* qu'un sorcier ? Et plus, cela signifiait être l'égal de Miricaï. Celui qui possédait le Langage. Autrement dit : *celui qui en était le maître.*

Dystar était inquiet pour Finn. Le jeune homme n'avait aucune idée des risques qu'il encourait. Hormis les dangers ordinaires qui menaçaient les voyageurs, Finn était l'objet de toutes les convoitises. Les Vénérables de Lur ne lui voulaient pas de mal même si, évidemment, ils voulaient le garder pour eux. Mais d'autres allaient, tôt ou tard, se mettre en chasse... Les Renégats, individus généralement peu délicats, n'hésiteraient pas à recourir aux pires méthodes pour obtenir ce qu'ils désiraient. Mais le plus grand péril viendrait du nord du comté de T'Noor. Du prieuré de Marlane, où régnait un être aussi exécrable que téméraire, le Vidame Larix Vibur, le Grand Maître des Horrigans.

Dystar partageait le point de vue d'Islip au sujet des Horrigans. Même si certains Vénérables s'étaient autrefois alliés avec eux pour contraindre (sans succès) Miricaï à partager son savoir, les Horrigans composaient une caste de sorciers insubordonnée à l'autorité de Lur. Si jamais ils s'emparaient de Finn…

Restait une inconnue, et de taille celle-là : quelles étaient les intentions de Miricaï vis-à-vis de son fils ?

*
* *

Les Frères Guerriers avaient une manière toute personnelle de suivre une piste. Ils allaient de taverne en taverne. Si Chantepleure et Gris-Corbin y cherchaient un gros tonneau de bière, Tiercefeuille, quant à lui, espérait bien y trouver des réponses. Finn devait se nourrir et s'abriter. Donc, à un moment ou un autre, quelqu'un allait le remarquer. C'était d'une logique imparable. À un petit détail près, qui avait échappé à Tiercefeuille : Finn n'avait pas de quoi payer. Les barrettes d'argile n'étaient utilisées qu'à Damalone. Le troc était partout très pratiqué. La seule monnaie ayant cours dans tous les comtés était le besant. Il pouvait être d'argent ou de bronze, entier ou coupé. Les besants d'or existaient mais ne circulaient guère.

Les services de la Confrérie guerrière étaient monnayables. Pour ramener Finn, les Vénérables de Lur avaient promis une récompense de deux cents besants d'argent. À la livraison... Pour couvrir leurs frais, Dystar leur avait donné vingt coupés-besants d'argent et quarante entiers de bronze.

En l'absence de la moindre indication sur la direction prise par Finn, Tiercefeuille avait décidé arbitrairement de prendre le chemin du comté d'Ulcamar. Gris-Corbin avait approuvé ce choix. En effet, les habitants d'Ulcamar étaient célèbres pour leur sens de la fête et la qualité de leur bière. Ulcamar détenait aussi le record du nombre de tavernes au mille carré...

De fort bonne humeur, Gris-Corbin annonça une auberge en vue. Chantepleure, qui somnolait à moitié sur son cheval, se redressa brusquement.

– Vous ne dites rien, surtout, ordonna Tiercefeuille. C'est moi qui parle, et moi seul!

– Mais on a le droit de boire, Engoulant? s'inquiéta Chantepleure.

– Si ça peut vous faire taire !

Gris-Corbin affirma que boire était une activité beaucoup trop sérieuse pour perdre son temps à bavasser.

Le comté tenait sa richesse de l'élevage des vers à soie. L'auberge était un important relais sur la route de Candrelar, où les marchands drapiers achetaient les pièces de soie fine qu'ils revendaient ensuite un peu partout. Le métier n'était pas sans risque. La soie d'Ulcamar coûtait cher et tentait les brigands de tout poil. Les drapiers voyageaient en caravane de plusieurs chariots, escortés de mercenaires armés jusqu'aux dents. Contrairement aux Frères Guerriers, ceux-ci ne buvaient pas. En revanche, ils étaient fort bien payés.

Chantepleure toussa en entrant dans la taverne. Les marchands aimaient fumer le narguilé en devisant gaiement. Les feuilles séchées de mélilot étaient légèrement narcotiques et favorisaient la conversation. Les Frères Guerriers s'assirent à la seule table encore libre. Une serveuse leur proposa un narguilé mais Tiercefeuille déclina l'offre. On leur apporta un pichet de bière et des galettes plates aux graines de carvi. Après avoir mûrement réfléchi, Tiercefeuille décida de s'adresser au patron derrière son comptoir. Si un étranger se présentait, il ne pouvait pas manquer de le remarquer. La finesse n'était pas le fort de l'Engoulant. Il posa directement des questions à l'aubergiste. Celui-ci lui affirma ne pas avoir vu de jeune garçon correspondant à la description de Finn. Tiercefeuille paya un coupé-besant de bronze pour la bière et retourna à sa table.

De son tabouret au bout du comptoir, un homme regardait les Frères Guerriers avec intérêt. Sa longue silhouette semblait particulièrement maigre dans ses vêtements noirs. Ses pommettes saillantes et ses yeux bleus étaient caractéristiques des habitants d'Ulcamar. Il serait passé inaperçu s'il n'avait pas été aussi grand.

Tiercefeuille refusa de commander un autre pichet de bière. Gris-Corbin et Chantepleure protestèrent qu'ils avaient à peine pu y goûter. Mais Tiercefeuille ne céda pas. L'homme en noir attendit qu'ils fussent sortis. Puis il se leva lentement.

L'aubergiste ne fut pas fâché de le voir partir. Il n'appréciait pas beaucoup ce genre d'individus. Les mercenaires qui gardaient le convoi à l'extérieur l'observèrent également avec défiance. Les bandits qui attaquaient les marchands envoyaient souvent des éclaireurs espionner les caravanes. L'homme se dirigea vers l'étable. Il prit tout son temps pour seller sa monture.

Il eut un sourire ironique en passant devant les mercenaires. L'un d'eux le prit mal et l'apostropha :

– Il vaudrait mieux pour toi que tu ne croises plus mon chemin, le désossé.

– Demande-toi pour qui cela vaudrait mieux, répondit l'homme.

– Tu cherches la bagarre, grippeminaud ? Tu vas la trouver !

Le mercenaire dégaina son sabre et fut retenu de justesse par l'un de ses camarades.

– Laisse tomber. Tu ne comprends pas à qui nous avons affaire ?

Puis il baissa la voix et murmura quelque chose dans son oreille. Le belliqueux rengaina aussitôt son arme. Il haussa les épaules et, pour ne pas passer pour un lâche, prétendit qu'il n'allait pas se battre pour si peu.

L'homme ne lui prêtait déjà plus la moindre attention. Il repéra la poussière soulevée par les chevaux des Frères Guerriers et se dirigea dans la même direction.

Chantepleure boudait en pensant à la si bonne bière dont il n'avait pas pu profiter. Parfois, il regrettait son engagement dans la Confrérie. Il n'y avait pas assez à manger pour toute la famille sur la pauvre terre de ses parents. Il n'avait pas eu vraiment le choix.

– Engoulant, dit soudain Gris-Corbin, nous sommes suivis.

– Je sais. Chantepleure, ne te retourne pas, morte corne !

Tiercefeuille n'avait peut-être pas participé à beaucoup de guerres (aucune, en réalité) mais il avait de l'expérience. La Confrérie guerrière se défendait d'être à la solde de qui pouvait payer. Elle avait pour noble tâche de protéger les comtés contre les envahisseurs barbares et les brigands. Personne n'avait jamais vu de barbares, ce qui n'était pas une raison. Quant aux voleurs, ils existaient effectivement. Cependant, ils craignaient plus les mercenaires que les Frères Guerriers. La Confrérie ne subsistait que par la volonté de quelques riches propriétaires du comté d'Hibah. Ce n'était pas par hasard : Hibah était situé à la frontière des forêts septentrionales, une contrée sauvage dont on ignorait tout et qui, donc, inquiétait. On croyait que des meutes de loups féroces les peuplaient. On racontait des histoires de gnomes maléfiques qui enlevaient les enfants pour les dévorer. On prétendait connaître quelqu'un... qui connaissait quelqu'un... qui connaissait quelqu'un... qui avait aperçu des créatures à deux têtes. Ce qui était fort improbable car aucun habitant du comté ne s'était jamais trouvé à moins de cent milles de la lisière des forêts. Ces légendes entretenaient une peur dont bénéficiait la Confrérie guerrière. Bénéfice tout relatif... Les généreux donateurs étaient plutôt radins. Les Frères acceptaient donc des missions à caractère privé. Et monnayables, évidemment.

– Qu'est-ce qu'on fait, Engoulant? demanda Gris-Corbin.

– Rien pour le moment. Attendons de voir si c'est vraiment à nous que l'on s'intéresse... Les routes sont fréquentées par ici. On peut se tromper.

Il n'ajouta pas que le paysage plat n'était guère propice à une embuscade. Mais des collines boisées se profilaient à l'horizon. Elles offriraient un avantage certain aux Frères Guerriers. L'idée d'une petite échauffourée mit Tiercefeuille de bonne humeur et il entama une de ces chansons paillardes qu'il affectionnait.

*
* *

Omoa, le muletier de Lur, prêta une de ses bêtes à contrecœur. Il assomma Trago, le serviteur des cuisines, de recommandations de tous ordres. Puis il sermonna longuement la mule sur les dangers des voyages et les mauvaises fréquentations.

La pluie ne permettait pas de passer par la gorge. Trago s'en plaignit abondamment au muletier. Un peu trop, peut-être… Si Omoa avait été un poil plus perspicace, il se serait posé quelques questions sur le comportement du serviteur. D'abord, c'était la première fois que Trago mentionnait son père malade. Pendant toutes ces semaines, il n'avait même jamais parlé de lui. Et voilà que, brusquement, il s'inquiétait de sa santé à grand renfort de lamentations. Ensuite, il avait demandé des remèdes à Froideneige mais s'était révélé incapable d'expliquer précisément de quoi son père souffrait. Enfin, et c'était de loin le plus étrange, Trago quitta la forteresse par un chemin qui conduisait vers le sud d'Anabé, où il n'avait rien à faire.

Or il avait quelque chose à y faire, justement… et ce n'était pas acheter des saucisses pour le Vénérable Dystar. En vérité, il n'avait aucunement l'intention de retourner à Lur gâcher sa vie à servir ces vieux râleurs. Il était un peu ennuyé à cause de la mule. Il essaierait de trouver quelqu'un pour la reconduire à la forteresse. Trago n'avait pas que des qualités mais il n'était pas un voleur. Omoa tenait à ses mules plus qu'à tout au monde, et Trago avait de la sympathie pour lui.

La pluie cessa alors qu'il approchait des grandes fermes apicoles. Le sud du comté d'Anabé était spécialisé dans l'élevage d'abeilles. Contrairement au nord, la région était assez riche. Quelques auberges s'égrenaient le long de la route pour accueillir les marchands qui venaient s'approvisionner en miel et en gelée royale.

Trago s'arrêta à la troisième. Tous les habitants possédaient des ruches, y compris les aubergistes. Ceux-ci utilisaient leur miel pour fabriquer de l'hydromel. Ici, on ne buvait pas de la bière comme dans les autres comtés.

Trago entra et jeta un regard circulaire dans la salle. Les marchands et les habitués aimaient se réunir dans les tavernes pour jouer à la rosette, une autre spécialité du pays. Sur chaque table étaient posés un damier à vingt cases et quatorze pions. L'aubergiste vint lui proposer de l'hydromel et s'excusa qu'il n'y ait pas de partenaire disponible pour la rosette.

– Je ne suis pas un très bon joueur, répondit Trago. Mais ça m'amuse d'observer les autres.

La rosette était un jeu stratégique dont le but était d'immobiliser l'adversaire. On avait perdu lorsqu'on ne pouvait plus déplacer ses pions sur le damier. Quelques clients avaient abandonné leur partie pour se regrouper autour d'une table où deux joueurs s'affrontaient. Trago prit son verre et rejoignit les spectateurs. Il vit alors pourquoi on se passionnait autant pour cette partie-là.

Un des deux joueurs, un gros marchand rougeaud, aligna dix besants d'argent devant lui. L'homme qui lui faisait face eut un petit sourire. Il avait la peau noir verdâtre et les yeux très bleus des habitants de T'Noor. Il eût été bien difficile de donner un âge à ce visage émacié.

– Que dites-vous de cela, l'ami ? Toujours intéressé ?

– Vous êtes sûr de vouloir parier autant ? répondit l'autre. J'ai gagné trois fois de suite !

– Vous êtes fort, je le reconnais. Mais vous n'êtes pas en très bonne position, à présent.

– D'accord. Je tiens le pari.

Sept coups plus tard, le marchand disait adieu à ses besants.

– Morte corne ! s'écria-t-il en riant. Vous êtes vraiment redoutable, mon ami ! Allez, la tournée générale est pour moi !

Il s'ensuivit une bousculade au comptoir. Le marchand, toujours hilare, commentait sa défaite avec ses pairs. L'étranger resta assis. De la main, il invita Trago à prendre le siège désormais vide.

– Je vous donne une leçon ? proposa-t-il.

– Pourquoi pas…

Trago remit les pions à leur place de départ. Il s'assura que les clients étaient tous très occupés à boire et reprit à voix basse :

– Il s'est passé quelque chose d'important… L'étudiant s'est enfui de la forteresse.

– Vraiment ?

– Vous n'avez pas l'air très surpris.

– Un bon joueur de rosette ne laisse pas paraître ses sentiments. Et comment ont réagi les Vénérables ?

– C'est la panique ! Ils ont fait appel à la Confrérie guerrière pour le retrouver.

– Judicieux… Savent-ils dans quelle direction chercher ?

– Pas du tout. Les Frères ont pris le chemin d'Ulcamar. Mais c'est une erreur.

– Vous semblez bien sûr de vous.

– J'ai passé des semaines à écouter les bavardages de ces imbéciles d'étudiants. Ce Finn ne connaît rien à rien. Où croyez-vous donc qu'il soit allé, puisqu'il ne peut pas rentrer chez lui ?

– Où ? L'usage veut qu'on commence la partie sur une case double.

Trago resta silencieux le temps que l'aubergiste remplisse leurs verres d'hydromel.

– Pour ma part, j'aime une ouverture sur une case sextuple. Ça déroute l'adversaire...

– Finn était plutôt proche de l'apprenti Chéramie. L'autre prétentieux, un peu moins... vous savez, celui qui vient du même pays que vous, avec un nom impossible à retenir.

– Fouk'hasma est originaire de la baronnie de T'Noor, répondit l'homme. Pas moi.

– Ah bon ? s'étonna Trago. Pourtant, vous avez un aspect physique très identique.

– La baronnie est une enclave dans le comté de T'Noor dirigée par le père de Fouk'hasma. C'est une sorte de... domaine privé. Alors, où est allé Finn, d'après vous ?

– Damalone. C'est tout simplement logique. Le comté n'est pas très loin de Lur, et Finn a pu demander de l'aide à Chéramie. En tout cas, c'est ce que je pense. Heu... Je peux avoir mon argent, maintenant? Il y a une jolie fille qui m'attend chez moi et elle coûte cher à entretenir.

– Il faut que vous retourniez à Lur.

– Ah non! protesta Trago. Ce n'était pas dans notre accord!

L'homme le regarda droit dans les yeux. Une coulée de sueur ruissela dans le dos de Trago.

– Mais, Maître, je... Combien de temps encore?

– Il n'est pas certain que les Frères Guerriers ne ramènent pas Finn à Lur. De plus, il faut que vous surveilliez les Vénérables. Votre présence là-bas est indispensable. Il n'a pas été facile de vous installer dans la place. Il serait extrêmement compliqué d'introduire un autre espion. Les Vénérables sont méfiants de nature. Mais vous pouvez être assuré que la récompense sera à la mesure de la tâche. Le Vidame Larix Vibur sait être très généreux...

– Combien exactement?

– Cinquante besants d'argent tout de suite. Vous sortirez derrière moi et vous me rejoindrez derrière les écuries. Je vous les donnerai.

– Oui, mais après? Combien?

– Cent besants... d'or.

Trago émit un « oh ! » presque concupiscent. Son interlocuteur posa un pion sur une case double et dit en se levant :

– Fin de la leçon.

Trago termina son verre. Il s'apprêtait à quitter l'auberge lorsqu'il fut apostrophé par le marchand hilare et définitivement soûl.

– Vous avez renoncé à jouer, l'ami ? Vous êtes plus sage que moi !

– Il n'a aucune idée contre qui il s'est battu ! ricana un des clients.

– Quoi ? Comment ça ? Qui était-il, ce drôle ?

– Un Horrigan de Marlane, compère !

Trago laissa le marchand à son ahurissement et s'empressa d'aller récupérer ses besants. Le Horrigan l'attendait, monté sur un cheval gris pommelé. Il lui remit la somme promise.

– Allez-vous chercher Finn, Maître Karzel ? demanda Trago.

– Ce que je fais ne concerne que moi. Votre mule s'impatiente.

Trago baissa la tête pour recompter son argent. Lorsqu'il la releva, le Horrigan était déjà loin.

Chapitre 11
Voyageurs chanceux et malchanceux

La verte campagne de Damalone avait laissé la place à un sol rocailleux et sec. Les pâturages et les habitations avaient disparu. Finn peinait. Il n'avait pas mangé depuis son départ précipité de la maison de Chéramie, le jour d'avant. Plus inquiétant encore, l'eau commençait à manquer. Il avait pris la direction du sud-est pour deux raisons. La première parce que Lur était au nord. La seconde parce qu'il croyait que la mer était à l'est. Avec un peu de chance, peut-être trouverait-il la route de T'Noor. Pour l'instant il n'y avait même pas la trace d'un chemin.

Le thym embaumait. Mais ce n'était pas avec ça qu'il allait se remplir la panse. Et pas l'ombre d'un nuage dans le ciel. La température, cependant, était supportable. Finn s'assit sur un gros rocher pour se masser les pieds. Il pensa à sa mère puis à ses amis, à la douceur de l'automne dans le comté d'Anabé et au vieux Duratte qu'il aurait dû plus écouter. Il essaya de rassembler ses quelques souvenirs de l'enseignement du maître d'école. Il avait certainement appris des choses sur les différents comtés. Il y avait les forêts septentrionales et un désert... peut-être. En tout cas, le descriptif qu'avait fait Fouk'hasma des bords de mer n'avait rien à voir avec ce qu'on en disait à Anabé. Il avait parlé de pêcheurs et de coquillages comestibles, de pins et de bruyère, de falaises et de sable fin... mais jamais de monstres marins. En bref, le peu que savait Finn ne valait rien.

Un rapace tournait au-dessus de sa tête. Et puis trois autres. Finn s'abrita les yeux pour mieux les observer. Qu'était-ce, exactement? Finn se redressa. Les oiseaux ne s'intéressaient pas à lui. Ils descendaient en faisant des cercles. Là-bas, à environ un demi-mille, Finn crut apercevoir une fumée noirâtre. Il n'y avait quand même pas une fabrique de pots dans cet endroit? Finn comprit brusquement que les oiseaux étaient des charognards. Ils étaient attirés par quelque chose. Sans doute un animal mort. L'idée de disputer un cadavre à des vautours n'était pas très séduisante mais c'était ça ou mourir de faim. Finn ne se posa pas plus de questions. Il fallait qu'il aille se rendre compte par lui-même. Malgré la fatigue, Finn se pressa. Il n'était sûrement pas dans les intentions des charognards de lui laisser sa part.

De rochers en ravines, il progressait laborieusement. Les oiseaux avaient disparu. Les accidents du terrain empêchaient Finn de voir où ils s'étaient précisément posés. Il se guidait grâce à la fumée de plus en plus vaporeuse. Si un feu avait été allumé, il était en train de s'éteindre.

Soufflant et transpirant, Finn escalada un raidillon particulièrement difficile. Arrivé en haut du tertre, il faillit perdre l'équilibre. Rien ne l'avait préparé au spectacle qu'il avait devant lui. Il tomba à genoux et vomit de la bile. Les mouvements de son estomac étaient incontrôlables. Il serra les bras autour de son ventre pour comprimer les spasmes. Au terme de plusieurs minutes, il parvint à s'asseoir. Il résista au désir de se laisser glisser le long de la pente qu'il venait de gravir pour s'enfuir au plus vite. Il se cacha la tête entre les jambes et se força à réfléchir. Il avait faim et il avait soif. Sa situation ne lui permettait pas de faire le délicat. À quelques mètres au-dessous de lui, il y avait peut-être de quoi l'aider. Finn devait affronter la dure réalité : il était seul et désespéré dans un monde où les braves gens n'étaient pas majoritaires.

Il releva la tête et regarda. Les charognards s'en donnaient à cœur joie. Ils n'avaient pas de cas de conscience, eux. Pour ne pas être à nouveau malade, Finn essaya d'oublier son sentiment d'horreur en se concentrant sur les détails. Il dénombra six chariots. Ils avaient été incendiés, ce qui expliquait la fumée. Pour tirer des véhicules de cette taille, il fallait des chevaux. On les avait probablement volés en même temps que le reste. Car on s'était bien livré à ce massacre pour une raison. Malgré sa répulsion, Finn examina les cadavres, ou plutôt ce qu'il en subsistait. Ni femmes ni enfants. Les vautours déchiquetaient les habits en lambeaux pour accéder à la chair. Finn n'avait jamais vu de vêtements de ce genre. Il y avait beaucoup de couleurs et de motifs brodés. Les tissus étaient d'une finesse et d'une brillance incomparables. Finn ne connaissait que la toile de lin, le coton et la laine. La soie lui était inconnue. La plupart des morts, cependant, étaient habillés tout en noir. Finn remarqua les ceintures qui portaient des fourreaux d'armes. Çà et là traînaient des sabres brisés et des débris de lances. Les malheureux s'étaient défendus. Leurs assaillants n'avaient eu aucune pitié.

Peu de chances de trouver quoi que ce soit d'utilisable dans les cendres. Mais il fallait tout de même vérifier. Finn se mit debout. Il souleva sa tunique pour se couvrir le nez. L'odeur de putréfaction commençait à flotter dans l'air. Par précaution, Finn observa les alentours avant de descendre de la butte. Les assassins étaient sans doute partis depuis des heures. Finn réalisa soudain que la caravane était sur une vraie route. Dans la poussière caillouteuse, il découvrit des empreintes de sabots. Elles lui indiquèrent la direction prise par des cavaliers, les voleurs selon toute vraisemblance. À la position du soleil, il calcula que leur piste partait vers l'ouest. Bonne chose, car lui allait dans l'autre sens.

Finn fourragea dans le premier chariot calciné. Il avait soigneusement été vidé. Pareil pour les quatre suivants. Dans le cinquième, Finn dénicha une dague en bon état. C'était toujours ça. Dans le dernier, il eut la mauvaise surprise de trouver un corps à moitié carbonisé. Les yeux étaient grands ouverts dans une expression de terreur absolue. Finn eut un haut-le-cœur et se détourna si vivement qu'il buta dans l'essieu et s'étala face contre terre. À plat ventre, il aperçut par hasard le dessous du chariot. Fixée aux planches par des lanières de cuir, il y avait une boîte rectangulaire très peu volumineuse. Elle était invisible à moins d'être étendu sur le sol comme Finn l'était. Au prix de quelques efforts, Finn réussit à la déloger de sa cachette à l'aide de la dague. Il força la serrure. Dans la boîte, il y avait trente besants d'argent et une bourse en peau. Finn dénoua la cordelette. Dans le creux de sa main glissa une pierre polie de la taille d'un petit pois. Elle était d'un vert assez pâle, pas très joli au goût de Finn. Mais, si on s'était donné la peine de la mettre dans une boîte aussi bien dissimulée, elle avait certainement de la valeur. Finn aurait préféré un pain de fougère et une gourde d'eau, dans l'immédiat. Les besants d'argent se révéleraient très utiles… si Finn survivait assez longtemps pour les dépenser. Il vérifia le dessous de tous les chariots, au cas où.

La bonne nouvelle, c'était qu'il était sur une voie fréquentée par les caravanes. Elle devait bien mener quelque part.

*
* *

Tiercefeuille s'arrêta dans le creux d'un vallon. Il indiqua les charmes à mi-hauteur.

– Voilà qui me semble parfait pour une embuscade, déclara-t-il. Menons nos chevaux sous les arbres. Quand notre coquin passera, nous lui tomberons dessus !

– On va se battre ? s'inquiéta Chantepleure. Pour de vrai ?

– À trois contre un, ça ne devrait pas être trop difficile ! ricana Gris-Corbin.

L'Engoulant pressa le mouvement. Ce n'était pas le moment de discuter. Ils avaient à peine conduit leurs montures sous les charmes que la silhouette de leur poursuivant apparaissait en haut de la colline. Sans doute crut-il que les Frères l'avaient distancé car il dévala la pente au galop. Chantepleure espéra qu'il continuerait à la même allure. Mais l'inconnu ralentit dès qu'il fut dans le vallon, perplexe.

À l'abri derrière les rochers, Tiercefeuille leva son badelaire et bondit en lançant le cri d'armes de la Confrérie guerrière :

– À moi, confrères !

Gris-Corbin courut derrière lui en répondant :

– Confrère, je suis !

Chantepleure ne s'approcha que prudemment, restant légèrement en retrait. L'homme les regarda arriver sans bouger d'un pouce.

– Puis-je vous aider? demanda-t-il poliment.

– Comment ça? fit Tiercefeuille, interloqué.

– À vous de me le dire, je crois.

– Mais... mais... morte corne! Quel genre de maroufle êtes-vous donc?

– Je ne suis pas sûr de bien saisir le sens de votre question.

– Quoi? Vous avez de l'aplomb pour un maigrelet! Vous nous suivez depuis l'auberge. Vous pensiez qu'on ne s'en était pas aperçu peut-être?

– Vous faites erreur. Je ne suis que mon chemin.

Tiercefeuille, frustré d'une belle bagarre, le menaça de son badelaire.

– Vous me prenez pour un imbécile? Pied à terre!

La réaction de l'homme fut aussi prompte qu'imprévue. Il fit reculer son cheval tout en portant la main à sa ceinture. La seconde d'après, une gerbe d'étincelles jaillissait entre ses doigts et un épais nuage rouge et nauséabond s'abattait sur les Frères. Gris-Corbin se mit à tousser. Chantepleure hurla en recevant des grains de la mystérieuse poudre dans les yeux. Aveuglé et étouffant, Tiercefeuille donna des coups dans l'air avec son arme et faillit bien atteindre le Chef Barre, qui se baissa juste à temps. La brise dissipa rapidement le nuage mais trop tard. Le cavalier avait disparu à l'autre bout de la vallée.

– Qu'est-ce que c'était que ça ? dit Gris-Corbin en crachant ses poumons.

– Au secours ! cria Chantepleure en gesticulant dans tous les sens. Je n'y vois plus rien !

Tiercefeuille le saisit à bras-le-corps pour l'immobiliser. Il ordonna à Gris-Corbin d'aller chercher une gourde d'eau. Chantepleure gémissait et se lamentait, persuadé qu'il avait perdu la vue pour de bon. L'Engoulant lui rinça abondamment les yeux.

– Ça me brûle ! C'est affreux ! Tue-moi tout de suite, Engoulant, si tu as un peu de pitié !

– Me tente pas, répondit Tiercefeuille.

– Ma vie est finie... pleurnicha Chantepleure. Ah ! Ah ! Ah... ça va mieux.

Il se mit à sourire en regardant autour de lui.

– Je ne pensais pas qu'un jour je serais si content de voir vos sales tronches !

– Qu'est-ce qu'elle nous a jeté à la figure, cette canaille ? demanda Gris-Corbin.

– Hum... J'aurais dû me méfier davantage, dit

Tiercefeuille. J'aurais dû comprendre tout de suite que c'était un Renégat.

– Un sorcier ? frémit Chantepleure. Il nous a ensorcelés ! Ah, pauvre de moi !

Tiercefeuille lui gifla le haut du crâne pour le faire taire.

– Bien sûr que non, foutre catin ! Il ne cherchait qu'à s'échapper !

– Au moins, on en est débarrassés, remarqua Gris-Corbin.

– J'en doute… répondit Tiercefeuille. Allons, c'est plutôt clair ! Il espère que nous le mènerons jusqu'à Finn.

– Finn ? répéta Gris-Corbin. Pour quoi faire ?

– Eh bien, pour nous le prendre, expliqua Tiercefeuille. Dystar m'a prévenu que cela pourrait se produire.

– Mais qu'est-ce qu'il a de si intéressant, l'étudiant ? s'étonna Chantepleure.

– Ça, le Grand Maître s'est bien gardé de me le dire ! Hum… ce déplaisant incident nous servira de leçon. Dorénavant, nous prenons des quarts pendant la nuit. Et si tu fais la moindre réflexion à ce sujet, Chantepleure, je t'apprendrai ce que c'est qu'un quart en te découpant en quartiers !

*
* *

Finn renifla le bas de sa manche. Il avait l'impression de sentir encore l'épouvantable odeur des cadavres en décomposition. La journée s'achèverait bientôt, et sa situation continuait d'empirer. La faim n'était même plus un souci tant il souffrait de la soif. C'était miracle qu'il parvienne à mettre un pied devant l'autre.

Le chemin semblait flotter devant lui, déformé par la brume de chaleur. Ou alors il avait des hallucinations. Oui, c'était sûrement le cas car il apercevait maintenant un muret de pierres autour de… Finn eut un râle de surprise. Un puits? Était-ce possible? Il trébucha en voulant se hâter. Il poursuivit à quatre pattes, s'écorchant les mains. Non, il ne rêvait pas! C'était bien un puits. Il en fit le tour et trouva un seau muni d'une corde. Il s'assura d'abord que la corde était correctement attachée à un anneau de fer. Il descendit le baquet en priant tous les Vénérables Érudits pour qu'il y ait de l'eau. Il y en avait.

Finn étancha sa soif, se doucha à plusieurs reprises et but encore, rien que pour le plaisir. Il remplit sa gourde vide puis s'adossa au muret. Évidemment, maintenant, il se souvenait qu'il crevait de faim. Il eut une idée en remontant sa ceinture qui le gênait. Il l'ôta et l'examina soigneusement. Dans son comté, seuls les riches pouvaient s'offrir du cuir. La ceinture de Finn était faite avec des rameaux de saule assouplis par de multiples lavages. Sur le devant, pour faire joli, sa mère avait cousu une bande de tissu. Mais à l'arrière, l'osier était nu. Finn écarta doucement les brins tressés en double épaisseur. Il sourit. Ça devait marcher... Il prit les besants d'argent dans sa besace et les glissa un par un entre les deux rangs d'osier. Ceux-ci se refermaient sur les pièces dès qu'il relâchait sa pression. Il réussit à caser vingt besants. Il était impossible de les voir une fois la ceinture passée dans son pantalon. Bien sûr, cela pesait plus lourd sur ses hanches et c'était un peu raide. Mais ce n'était qu'un petit désagrément.

Il rangea neuf pièces dans la bourse en peau, faute de mieux. Il garda la dixième dans la poche de sa tunique. Puis il eut une seconde idée. Il sortit sa toile et ses fils de coton. Il se mit à rire en se félicitant de ses talents de brodeur. Il choisit une des fleurs inachevées du pourtour. Les pétales étaient faits en bleu. Finn prit un fil rose pour garnir le centre. Et le garnit plutôt bien! Quand il eut fini, il tint la toile à bout de bras pour juger de l'effet. Et à nouveau, il se mit à rire. Bien malin celui qui remarquerait la légère protubérance au milieu de la fleur. À peine de la taille d'un pois…

Le soleil était bas sur l'horizon. Dans une heure tout au plus, il ferait nuit. Finn se demanda pour quelle raison on avait creusé un puits dans cet endroit apparemment désert. Peut-être était-ce pour les caravanes. Finn s'assombrit en repensant aux malheureux voyageurs. Que transportaient-ils de si précieux pour qu'on les assassine sans la moindre hésitation? La ceinture ne lui pesait pas que sur les hanches mais aussi sur la conscience. Il avait détroussé des morts. Il n'y avait pas de quoi être fier.

Finn n'était pas le genre à avoir des remords bien longtemps. Il n'était pas indifférent à la misère des autres mais il se préoccupait d'abord de lui-même. D'ailleurs, qui le ferait à sa place? L'égoïsme et la fourberie étaient sans doute de vilains défauts. Mais, s'il voulait rester en vie, c'étaient ses meilleurs atouts.

Chapitre 12
Maître Finn

Le Horrigan Karzel savait exactement où se rendre. En raison d'une obscure tradition, deux familles pouvaient envoyer un garçon à Lur pour devenir sorcier. La première était celle du baron de T'Noor. La seconde, celle de Patriarche Ché-RA-mie. Trago avait probablement vu juste. Finn avait dû chercher de l'aide à Damalone. Avec un peu de chance, il y était encore.

Karzel avait quitté le prieuré de Marlane depuis plus de six mois. Le Vidame Larix Vibur l'avait chargé, dans un premier temps, de surveiller les agissements des Vénérables. Karzel avait manœuvré intelligemment en introduisant un espion dans la place. Il avait légèrement aidé le destin en soudoyant le cuisinier pour qu'il démissionne en prétextant des ennuis de santé. Il l'avait si bien payé qu'il avait même accepté de présenter Trago comme son cousin. Celui-là, Karzel l'avait déniché dans une minable auberge où le patron le traitait pire que son chien. Il n'avait pas été très difficile de le convaincre d'abandonner sa misérable existence. Trago faisait preuve d'un don tout particulier pour la félonie. Karzel en était donc très satisfait.

Et puis les événements avaient pris un tour imprévu : Finn s'était enfui. Dans un sens, cela facilitait les choses. Dans un autre, cela soulevait beaucoup d'interrogations. Le Horrigan avait décidé de poursuivre le fils de Miricaï sans en informer le Vidame. En effet, il n'était pas sûr que Larix Vibur lui donne son accord. Ils s'étaient déjà affrontés auparavant. Le Vidame avait décidé de laisser Finn rejoindre la forteresse. Karzel avait désapprouvé ce choix. Une fois à Lur, Finn était sous la protection des Vénérables. Le récupérer posait des problèmes. Larix Vibur avait, cependant, avancé un argument assez valable : Finn devait être instruit. Or nulle part ailleurs on ne trouvait une bibliothèque comparable à celle de Lur. Son plus grand trésor était les *Actes* de Gravatte l'Ancien dont il n'existait aucune copie. Les Horrigans, comme les Vénérables, espéraient que Finn serait à même de les déchiffrer. Tout était là… Le fils de Miricaï en était-il capable ? Personne ne savait exactement ce qu'il y avait dans les *Actes*. On supposait que c'était un genre de code, la clé du Langage secret. Tous les sorciers croyaient que Miricaï avait cette clé. Comment ? Parce que le Langage lui parlait. À lui et à lui seul. Pourquoi ? On l'ignorait. On ignorait à peu près tout de Miricaï. D'où venait-il ? À quoi ressemblait-il ? Où était-il à présent ? Et pourquoi avait-il voulu avoir un enfant ? Avec cette femme sans aucun intérêt. Dès la nouvelle de la conception de Finn, Larix Vibur avait envoyé un espion auprès de la future mère. Il n'avait guère été utile de ruser pour obtenir des renseignements : Loudana racontait son aventure à tout le monde. En gros, Miricaï l'avait séduite et il était reparti ! Le plus curieux, peut-être, était que Miricaï lui ait révélé son identité. Voulait-il s'assurer que son fils soit éduqué par les Vénérables, le moment venu ? Quant à l'apparence physique de Miricaï, tout ce que pouvait en dire Loudana se résumait en un mot : « rien ». Elle agrémentait ce « rien » d'un soupçon de sorcellerie. Elle prétendait que l'homme lui était apparu dans une aura de lumière. Son visage était resté caché. Néanmoins, elle lui avait trouvé une fort jolie voix…

Ni les Vénérables ni les Horrigans n'étaient des naïfs. Ils avaient évidemment douté de la véracité de cette histoire ! Mais comment être tout à fait sûrs ? L'unique moyen dont disposaient les Maîtres Sorciers était la divination. On en avait usé et abusé jusqu'à l'absurde. Tantôt c'était oui, Finn est le fils de Miricaï, tantôt c'était non. Autant jouer à pile ou face avec un besant d'or. Mais un Vénérable, l'un des plus grands, avait mis un point final à la discussion. Le Devin Supérieur de T'Noor, Maître Kuzu Dambar, avait refusé des mois durant de pratiquer la moindre divination au sujet de Finn. Puis il avait brusquement changé d'avis.

Karzel avait eu le privilège d'assister à la cérémonie. En effet, Kuzu Dambar avait accepté la présence d'un Vénérable et d'un Horrigan. Le Grand Maître de Lur et le Vidame du prieuré de Marlane durent céder leur place. Kuzu Dambar ne voulait pas d'eux. Il ne s'expliqua jamais à ce propos. Mais, quand on est le Devin Supérieur de T'Noor, on n'a pas besoin de se justifier. Larix Vibur avait choisi Karzel pour son intelligence et sa dextérité dans le maniement des armes... La confiance n'avait jamais régné entre Lur et Marlane. Dystar avait envoyé son Maître Herboriste, décédé depuis de la fièvre des marais.

Kuzu Dambar résidait dans le palais du baron de T'Noor, comme tous les Devins Supérieurs qui l'avaient précédé. Pour cette raison, la demeure bénéficiait d'une protection absolue. Même à des périodes plus agitées, personne n'aurait osé s'attaquer à la minuscule baronnie. Le baron était déjà Galin'saga, le père de Fouk'hasma. Il assista lui aussi à la cérémonie de divination par le droit de privilège dont il jouissait.

Karzel se souvenait de cette nuit-là avec précision. Quinze ans s'étaient pourtant écoulés depuis. Le Horrigan n'était pas du genre impressionnable mais il avait été troublé lorsque Kuzu Dambar s'était coupé le pouce au-dessus de son chaudron. Karzel revoyait encore le sang tomber goutte à goutte, brillant dans les rayons mordorés du soleil couchant... Puis le Devin avait remué l'eau avec son bâton sculpté. Et son visage, d'ordinaire impassible, avait eu une expression d'effroi. Cela, bien plus que les paroles qu'il prononça ensuite, avait marqué Karzel. Paroles, d'ailleurs, sujettes à interprétation. Le Maître Herboriste, qui n'était pas un modèle de patience, avait demandé si Finn était le fils de Miricaï.

– Il n'y a pas de réponse directe à cette question, avait dit Kuzu Dambar. Pour le chaudron, elle est sans importance.

– Qu'est-ce qui est important, alors? s'était étonné Karzel.

– Que le chaudron prédise un bouleversement. Le destin de Finn est de changer les choses. Enfin... le chaudron ignore le nom de Finn. Il l'appelle «le Frélampier».

L'ahurissement des trois hommes avait fait sourire Kuzu Dambar.

– Mais ça ne signifie rien! s'était exclamé Galin'saga.

Un frélampier était un frère chargé d'allumer les bougies dans les couvents. Sitôt prévenu, Larix Vibur avait déclaré que la prédiction faisait référence à son prieuré et que Finn appartenait, de ce fait, à Marlane et non à Lur. Ce que Dystar n'avait pas manqué de contester. Frélampier n'était qu'une appellation pour définir la fonction de Finn. On pouvait donc tout imaginer. Mais les Maîtres Sorciers n'avaient pas tellement d'imagination. Pas un ne pensa qu'on traitait de «frélampier» une personne de peu d'importance, autrement dit un inutile. Pour eux, Finn était assurément le fils de Miricaï. Ils crurent tous que Finn était celui qui leur apporterait, non pas un chandelier, mais l'illumination...

*
* *

Karzel arriva aux portes de la fabrique de pots. Il n'avait pas de plan précis. Il s'en remettait au hasard. Il apostropha un homme qui sortait, probablement un client.

– Salutations. Je viens présenter mes respects à Patriarche Ché-RA-mie. Où puis-je le trouver?

– Salutations. Il se repose chez lui. Il a été un peu secoué, comme nous tous, par le Grand Événement!

– Le Grand Événement? Je ne comprends pas.

– Vous venez d'arriver, je suppose. L'histoire est récente mais le comté tout entier est déjà averti. Je suis un peu pressé. J'aperçois l'aîné de Patriarche. Adressez-vous à lui, je suis certain qu'il vous montrera volontiers le Pot sacré.

Karzel savait que le jeune garçon avait été le compagnon de Finn. Cela tombait à pic. Il descendit de cheval et se présenta à Chéramie comme un émissaire de Lur.

– Les Vénérables sont déjà au courant? s'étonna Chéramie. Les nouvelles vont vite!

– Pas tant que ça, répondit Karzel. Je viens m'informer, justement...

– Suivez-moi, suivez-moi, le pria Chéramie. Vous allez voir par vous-même !

Le Horrigan, par prudence, ne posa pas d'autres questions. Il suffisait de laisser parler Chéramie. Celui-ci l'invita dans la maison et le guida à l'étage. Là, il l'introduisit dans la salle bleue. Karzel fit un compliment sur la beauté de la pièce. Chéramie prit un pot isolé sur une étagère et le montra au sorcier.

– Regardez.

Karzel regarda. Il ne vit rien de plus qu'un pot blanc avec une anse.

– Là, à l'intérieur ! Vous voyez cette ligne ? Le pot a jauni !

– Eh bien, oui, peut-être... répondit Karzel, dubitatif.

– Connaissez-vous l'histoire du Pot sacré ? Il a été fabriqué par un de mes ancêtres. Il était parvenu à obtenir un blanc immaculé et incomparable que nous n'avons jamais pu reproduire. Depuis cette époque, nous vénérons le Pot comme le symbole de la perfection.

– Mais il est devenu jaune. Je suis désolé.

– Non, non ! Vous n'y êtes pas ! Pendant des générations, nous avons recherché le secret du blanc pur. Nous étions en permanence insatisfaits. Et puis Maître Finn est venu…

– « Maître » Finn ? répéta Karzel abasourdi.

– Ce fut incroyable, vous savez, continua Chéramie, les yeux brillants. Quand il a prononcé l'incantation de protection, sa voix s'est transformée en un grondement de tonnerre.

– Il a lancé une incantation ? demanda le Horrigan de plus en plus stupéfait.

– Oui, sur la fabrique. Et, peu après, il s'est rendu ici. À l'heure du déjeuner, je suis venu et j'ai frappé mais il ne répondait pas, alors je suis allé quérir mon père parce que je n'osais pas entrer sans y être convié. Patriarche a ouvert la porte et… rien ! Plus personne ! Il s'était envolé par magie !

– Vraiment ? Par magie ?

– Il n'y a pas d'autre explication. Il y a toujours plein de monde en bas, surtout au moment des repas. Maître Finn n'est *jamais* ressorti ! Mais attendez ! Ce n'est pas le plus extraordinaire ! Quand mon père a regardé dans le Pot sacré, il a vu qu'il était devenu jaune à l'intérieur ! Et alors, il a tout compris…

– J'aimerais bien aussi…

– Maître Finn nous a montré notre erreur. Notre existence était totalement vouée à rechercher l'impossible. Mais le blanc pur du Pot sacré n'était qu'une illusion. Maître Finn nous a appris que la perfection n'est pas de ce monde. Ce qui est important, c'est que chacun fasse de son mieux. S'en contenter, c'est le secret du bonheur. Ce fut une révélation pour nous tous.

– Une illumination, en quelque sorte… murmura Karzel.

– Oui, c'est exactement ça ! s'exclama Chéramie. Enfin, nous voyons clair !

– Et vous n'avez aucune idée où Maître Finn est allé ? demanda Karzel en se reprenant.

– Il n'a rien dit. Sauf que, comme tous les Maîtres Sorciers, il devait voyager pour… comment déjà ? Ah oui ! Pour trouver sa charge. Il songeait à devenir Maître Herboriste. Je me trompe peut-être mais il me semble qu'il est destiné à être plus que ça.

– Vous ne vous trompez pas, affirma Karzel.

Car, maintenant, il en avait la preuve : Finn était bien le Frélampier et il bouleversait déjà les choses comme l'avait prédit le chaudron de Kuzu Dambar.

*
* *

Finn se réveilla et s'étira. Il avait mal partout. Il se remplit l'estomac en buvant jusqu'à la nausée. Cela ne suffit malheureusement pas à lui faire oublier sa faim. Il faisait frais en ce début de journée. Pour la première fois depuis son départ de la forteresse, le ciel était nuageux. Il aurait moins chaud…

Il contempla le morne paysage avec accablement. Marcher ? Il en avait plus qu'assez. Son courage revint lorsqu'il s'aperçut que la route en croisait une autre un peu plus loin. Comme celle-ci allait plus nettement dans la direction du sud-est, il décida de l'emprunter. D'ailleurs, il était préférable de quitter la voie où la caravane avait été attaquée. Il pourrait toujours prétendre ne pas être passé par là si jamais quelqu'un lui posait des questions.

Il remarqua de profondes ornières dans la terre sèche. De toute évidence, des chariots les avaient creusées. Finn s'arrêta pour observer attentivement le lointain. Du côté nord, il crut voir des volutes de poussière. Il n'y avait pratiquement pas de vent, alors peut-être… Il s'assit sur le talus et décida d'attendre un peu. Si, comme il l'espérait, c'était bien une caravane, cela valait la peine de patienter.

Au terme d'une petite heure, il fut certain de distinguer la masse de plusieurs véhicules. De l'aide, enfin ! Il contrôla son excitation. Il devait réfléchir avant de parler. Il avait retenu la leçon en se mesurant au Vénérable Copiraille.

Il se redressa à l'approche de la caravane. Finn grogna car des cavaliers armés la devançaient. Ce n'était pas bon signe.

– Salutations, dit-il à l'avant-garde.

– Écarte-toi !

Finn obéit. Le premier chariot avait un aspect surprenant. Il était recouvert de larges pans de toile blanche qui flottaient au gré du mouvement. Le devant était ouvert et laissait voir un individu replet à demi couché sur une quantité faramineuse de coussins soyeux et multicolores. L'homme semblait transpirer beaucoup. Son visage était cireux et des cernes verdâtres lui entouraient les yeux. Il n'allait pas bien. À la magnificence de ses habits, on devinait qu'il était très riche.

Finn se précipita vers le chariot, prenant les mercenaires au dépourvu.

– Votre seigneurie, supplia-t-il, je vous en prie !

Je n'ai pas mangé depuis trois jours. Je ne demande qu'un petit bout de pain… Par pitié !

Fort mécontent, un des cavaliers pointa sa lance vers lui. Mais le malade tourna la tête vers Finn.

– Qu'est-ce que c'est ? demanda-t-il faiblement.

– Seigneur, je ne suis pas un manant, je suis…

Et à l'instant où Finn allait se présenter comme un Maître Sorcier, il remarqua un curieux bonhomme dans le chariot suivant. Finn ne connaissait pas grand-chose du monde mais il avait déjà vu, dans son comté, des guérisseurs itinérants. Ils avaient tous la même apparence : une longue robe noire et un chaperon à manches. C'était généralement de fieffés charlatans.

– Je suis… un ami personnel du baron de T'Noor.

– Vraiment ? répondit le malade, soudain amusé. Il se trouve que j'en suis un, également !

– En fait, c'est de son fils Fouk'hasma que je suis l'ami.

– Si tu mens, tu le fais habilement car c'est effectivement son nom…

– Je ne mens pas, affirma Finn. Et je peux le prouver. Fouk'hasma a la peau noire, de longs cheveux bruns et les yeux bleus. Et il a été renvoyé de la forteresse de Lur !

– Morte corne ! s'exclama l'homme. Peu de gens sont au courant de ça !

– Comme vous le constatez, seigneur, je dis la vérité. Je suis en route pour la baronnie mais, hélas, je me suis perdu. Des provisions que j'avais pour mon voyage, il ne me reste rien.

Finn porta la main à la poche de sa tunique et en sortit le besant d'argent.

– Ma mère m'a donné cette pièce avant mon départ. Je la gardais pour les cas d'urgence. Et je crois bien que c'en est un. Je peux acheter de la nourriture si vous aviez la bonté de m'en procurer.

– Comment t'appelles-tu, mon garçon ?

– Finn, seigneur.

– Arrête donc avec tes « seigneur » ! Je suis Gupta, le drapier. Holà ! Que l'on apporte à manger ! Viens près de moi, tu es mon invité.

Finn ne se le fit pas dire deux fois. Il remercia le drapier pour son immense générosité. Un serviteur déposa une corbeille avec du pain et des fruits. Finn, malgré sa faim, en proposa d'abord à son hôte.

– J'ai trop mal au ventre, expliqua Gupta en refusant. Mais j'ai très soif. Hull ! Hull ! Mon remède !

Le guérisseur approchait, une aiguière à la main. Il s'inclina servilement devant le drapier.

– Voilà votre tisane. Buvez-en au moins deux tasses.

– J'en boirais quarante si ce n'était pas si mauvais. J'ai tellement soif!

Finn croqua dans un fruit en observant Hull. Celui-ci avait vraiment la tête d'un aigrefin.

– Où vous rendez-vous? demanda Finn.

– À Candrelar, au sud d'Ulcamar, où je réside. Tu peux voyager avec nous. Candrelar n'est pas très éloigné de la baronnie et tu trouveras sûrement une caravane pour t'y emmener. Ah... il faut que je dorme un peu. Je suis épuisé. Hull, voulez-vous bien accueillir Finn dans votre chariot?

– Avec plaisir, répondit Hull obligeamment.

Finn remercia une nouvelle fois le drapier, prit la corbeille et suivit le guérisseur.

– De quoi souffre Gupta?

– De goutte, principalement, et de l'estomac. Il est bien trop gros. Il a besoin de diète et de purge.

Finn ne fit aucune réflexion. Pourtant, le teint blafard et la sudation excessive de Gupta étaient très inquiétants. Hull jeta le liquide restant de l'aiguière.

– N'est-ce pas du gâchis? s'étonna Finn.

– Il ne faut pas conserver les tisanes trop longtemps. Je vais en refaire.

– J'avoue que j'ignore tout de ces choses-là, dit Finn. J'aimerais tant apprendre !

– C'est une science difficile et qui exige du temps, répondit Hull d'un air suffisant.

– Vous êtes sans doute un Maître Herboriste ?

– Je… non. Mais j'en sais beaucoup plus sur les plantes que ces prétentieux de Lur !

– Oh, je vous crois ! s'écria Finn. Dans mon comté sévit parfois la fièvre des marais. Et l'histoire serait risible si elle n'était pas aussi tragique, Lur nous a envoyé son Maître Herboriste. Non seulement il n'a guéri personne mais il a attrapé la fièvre et il en est mort !

L'anecdote fit sourire le guérisseur, qui, du coup, en oublia toute méfiance. D'ailleurs, que pouvait-il redouter de ce gamin crasseux ? Finn le regarda doser ses graines et ses feuilles séchées avant de reprendre :

– Et ceci, qu'est-ce donc ?

– Du fenouil et du basilic. Ça, du houblon. Du marrube blanc.

Finn ne dit rien lorsque Hull fit tomber dans sa mesure des baies noires qu'il reconnut sans peine.

– Et ça ? Cela ressemble à du persil !

– C'en est. Ça ne sert pas que dans les salades !

Gupta est très fatigué. Le persil le remontera un peu car il est excitant.

– Quelle merveille de savoir tant de choses ! s'extasia Finn.

Hull était le genre à apprécier la flatterie. Mais Finn jugea qu'il valait mieux s'abstenir de l'interroger plus avant sur ses remèdes. Il se contenta de finir le contenu du panier en posant des questions sur le commerce du drapier. Gupta était l'un des plus importants marchands de soie. Sa fortune était considérable d'après Hull. Il voyageait rarement. Cette fois-ci était exceptionnelle. Son frère l'avait invité quelques jours dans son domaine. Quand on recevait chez les drapiers, ce n'étaient que banquets et beuveries. Gupta avait forcé sur la nourriture. Fort heureusement, Hull se trouvait chez le frère prodigue à ce moment-là. Dévoué comme il l'était, Hull avait décidé d'accompagner Gupta pour le soigner. « Quelle chance, en effet ! » pensa Finn.

Et, comme il avait aussi appris la patience à Lur, Finn attendit son heure…

*
* *

Et l'heure vint avec le crépuscule. La caravane s'arrêta pour la nuit. Les mercenaires avaient choisi un endroit bien dégagé, meilleure garantie contre les attaques surprises. Finn s'empressa de prendre des nouvelles de Gupta. Il le trouva engourdi, le souffle court et assoiffé. Cela confirmait ses soupçons. Les serviteurs du drapier semblaient sincèrement préoccupés par son état de santé. Même le chef des gardes manifestait de l'inquiétude.

Hull remplissait l'aiguière avec de l'eau chaude. Sans mot dire, Finn suivait chacun de ses gestes. Gupta réclama à boire. Finn laissa le guérisseur approcher puis verser la tisane dans un calice en étain. Au moment où Hull tendait la coupe à Gupta, Finn lui saisit le poignet et le tordit violemment. Hull poussa un cri de douleur et lâcha tout, y compris l'aiguière. La stupéfaction passée, mercenaires et serviteurs s'avancèrent vers Finn, plus menaçants que curieux.

– Mais vous êtes fou ! s'exclama Hull. Je dois refaire ma préparation !

– Je ne suis pas fou, répondit Finn, surtout à l'intention de Gupta. Oh, mais tout d'abord, permettez-moi de vous révéler ma véritable identité : je suis Maître Finn et je viens de Lur.

Un murmure parcourut les spectateurs. Finn profita de l'effet produit sur Hull pour dire posément :

– Je sais tout sur les plantes et les remèdes ! J'ai eu des doutes dès le début en voyant Gupta. Son teint, sa transpiration, sa soif et sa respiration difficile indiquaient une maladie beaucoup plus sérieuse qu'une crise de goutte et une mauvaise digestion ! Mais je ne pouvais porter d'accusation sans être sûr. J'ai vu ce sinistre individu mélanger des baies de belladone à sa tisane. Pire encore, il y a mis de la petite ciguë en prétendant que c'était du persil !

– Mensonges ! hurla Hull. Qui pourrait imaginer une seconde que ce jeune freluquet puisse être un Maître Sorcier ?

– Eh bien, ne le croyez pas, dit Finn, tranquillement. Mais vous qui êtes en route depuis quelque temps déjà, n'avez-vous pas remarqué que Gupta allait de plus en plus mal ?

– C'est vrai, admit un des serviteurs.

– Et même si Hull n'empoisonnait pas Gupta, ce qu'il fait, je vous l'assure… il serait en tout cas un bien piètre guérisseur !

Le chef mercenaire regarda Hull d'un œil sombre. La situation tournait à l'avantage de Finn. Hull avait eu l'imprudence de lui raconter que le drapier était extrêmement riche grâce au commerce de la soie. Et dans la conversation, il avait, sans y prendre garde, mentionné le fait que le frère de Gupta n'était pas aussi prospère. Finn en avait déduit que la Providence n'était pour rien dans la présence du guérisseur chez le frère en question.

– J'espère qu'il vous a bien payé, dit Finn.

– De qui parle-t-il ? demanda le chef mercenaire.

– De personne ! s'écria Hull. Il vous trompe !

– Réfléchissez un peu ! Gupta est tombé malade chez son frère et Hull était là, comme par hasard ! Vous ne trouvez pas étonnant que ce prétendu guérisseur ait poussé la bonté jusqu'à partir avec la caravane ?

Gupta réclama qu'on l'aide à s'asseoir. Malgré sa faiblesse, il avait parfaitement suivi toute la conversation.

– Mon frère ? Ce chien a voulu me tuer pour accaparer ma fortune ! J'aurais dû me méfier quand j'ai reçu son invitation ! Cela faisait des années que nous étions en froid, et il m'a fait croire qu'il voulait se réconcilier. J'étais si content de le retrouver ! Je ne suis qu'un idiot !

Hull comprit qu'il avait perdu la partie. Il chercha à s'échapper mais il fut vite attrapé par les hommes en armes.

– Pitié ! Pitié ! supplia-t-il. Je ne suis qu'un misérable mécréant! Je témoignerai contre votre frère, j'avouerai tout!

– Je l'exécute tout de suite? demanda le chef mercenaire.

– Je préfère qu'on pende mon frère! répondit Gupta. Attachez-le solidement. Nous le livrerons à la Garde incarnate de Candrelar. Ah... Je me sens mal...

– Laissez-moi fouiller dans la pharmacopée de ce gredin, dit Finn. J'y trouverai de quoi vous soigner.

Une fois encore, l'enseignement du Vénérable Froideneige se révéla précieux. Finn soulagea vite Gupta en lui faisant boire du vinaigre, remède efficace contre la ciguë. Puis il lui concocta une bonne tisane dépurative pour le débarrasser de tout poison.

Bien avant d'avoir atteint Candrelar, tout le monde dans la caravane l'appelait Maître.

Chapitre 13
Le Devin Supérieur de T'Noor

De son lit, Kuzu Dambar regarda le soleil se coucher. Il eut un peu de tristesse en songeant qu'il ne le verrait pas se lever. Son disciple Ilex Minor deviendrait le nouveau Devin Supérieur de T'Noor. Celui-ci était un homme d'une grande intelligence, fin politicien et d'une droiture exemplaire. En revanche, Ilex Minor n'avait pas le talent de son prédécesseur pour la divination. À ce titre, Kuzu Dambar était un être exceptionnel. Dès son plus jeune âge, il avait fait montre d'un don étonnant. Il était pourtant né dans une famille tout à fait ordinaire et rien ne le prédestinait à devenir le Vénérable le plus respecté de tous les sorciers. Le chaudron parlait vraiment à Kuzu Dambar, et le phénomène ne cessait de le surprendre lui-même. Mais Kuzu Dambar ne disait pas tout ce qu'il voyait. Il avait de bonnes raisons pour ça.

Quelque trente ans auparavant, il avait participé à ce que l'on nomma ensuite la « conspiration des Horrigans de Marlane ». Terme impropre puisque plusieurs Vénérables s'étaient joints à eux, entre autres Maître Viren Majus. L'initiative était venue du prieuré de Marlane, plus précisément de son Vidame, Larix Vibur. Curieux personnage que ce dernier… Les Horrigans, contrairement aux Vénérables, composaient une secte de type religieux. Il y avait donc un Vidame et des frères servant au prieuré. Les Horrigans eux-mêmes n'étaient pas des moines mais obéissaient à la Règle. La scission entre Lur et Marlane remontait à des temps anciens. Un Vénérable du nom de Rafanus prêchait que la magie était un don de la Toute-Puissance céleste. Il édicta des lois qui, selon lui, étaient conformes à la volonté de cette Toute-Puissance. Il instaura notamment des rites de purification. Mais la rigidité de sa Règle, sans doute plus que ses idées, ne plut guère aux autres Vénérables, qui l'exclurent de Lur. Certains Maîtres Sorciers le suivirent cependant et ils fondèrent un prieuré à Marlane, au nord du comté de T'Noor.

Larix Vibur fut donc à l'origine de la conspiration. Miricaï possédait la clé du Langage mais refusait de la donner aux autres. C'était une façon un peu simpliste d'expliquer la disparition du sorcier. D'ailleurs, pouvait-on vraiment dire qu'il avait disparu ? Car, jusqu'à preuve du contraire, Miricaï n'existait même pas ! Malgré cela, tout le monde était persuadé de sa réalité. Miricaï n'était passé ni par Lur ni par Marlane. Enfin, ce n'était pas tout à fait exact… Là était le plus extraordinaire de toute l'histoire. Car Miricaï fut bien présent à Lur, à une certaine époque. Mais il ne le fut jamais dans une enveloppe corporelle. Les Vénérables rapportèrent d'incroyables récits des faits et gestes de Miricaï à la forteresse. Il lisait à la bibliothèque, il fabriquait des potions et il résidait… dans la tour d'Est. On ne le voyait pas, pourtant il était là. Les Vénérables n'étaient ni des fous ni des menteurs. Miricaï se manifestait de nombreuses manières. Non seulement on trouvait des tisanes toutes prêtes mais aussi des recommandations écrites sur leurs usages. Miricaï avait même modifié quelques chapitres des *Chroniques de Lur*. Il laissait sur la table de la bibliothèque des poèmes épiques qu'il signait de son nom. Puis, un jour, les Vénérables découvrirent une note posée sur les *Actes* de Gravatte l'Ancien. Miricaï disait qu'il avait déchiffré le livre et qu'il n'avait donc plus rien à faire à Lur. Et, depuis lors, Miricaï n'apparut plus nulle part sous aucune forme que ce soit. Jusqu'à ce qu'une femme déclare porter son fils.

La conspiration avait donc eu pour but d'essayer de percer les secrets de Miricaï. D'abord, qui était-il ? Ensuite, comment avait-il appris à se détacher de son corps ? (À ce sujet, les sorciers s'accordaient à penser que la méthode dépendait de la maîtrise du Langage.) Enfin, comment le forcer à partager son savoir ? On commença en tentant de le localiser. Les recherches se poursuivirent durant des années. Ce fut un échec, même si plusieurs Horrigans crurent trouver des traces de sa présence dans le comté d'Hibah.

Larix Vibur décida alors de recourir à la divination. L'idée ne lui serait sûrement pas venue si les dons de Kuzu Dambar n'avaient pas été aussi indiscutables. Le Devin Supérieur s'était souvent reproché d'avoir cédé au Vidame. Larix Vibur avait manœuvré adroitement pour le persuader. Il avait promis un soutien inconditionnel à la baronnie de T'Noor, tant financier que militaire. Kuzu

Dambar avait fini par accepter, car la protection du prieuré assurait la pérennité des Devins Supérieurs, qui ne dépendaient que d'eux-mêmes. Kuzu Dambar se vengea quinze ans plus tard en refusant la présence du Vidame lors de la cérémonie concernant Finn. Il avait, par la même occasion, récusé le Grand Maître Dystar. Il ne l'aimait pas davantage que le Vidame.

Le Frélampier... Les derniers rayons du soleil irradièrent la chambre. Kuzu Dambar frissonna. Ce qu'il avait vu...

Quelqu'un frappa à la porte. Le Devin se redressa un peu dans son lit. Il pria que l'on entre. Un sourire éclaira le visage du vieillard.

– Ferme à clé, demanda-t-il. Viens près de moi. Très bien... Non, ne dis rien. Écoute-moi. Je n'ai plus beaucoup de force et il faut... Tu es la seule personne en qui j'ai toute confiance. Ce que je vais te révéler, tu ne dois jamais le répéter. Mais il faut que quelqu'un sache la vérité parce que...

Kuzu Dambar contrôla sa respiration sifflante puis reprit :

– Il y a fort longtemps, j'ai pratiqué une divination... Oui, tu es au courant... La conspiration des Horrigans de Marlane. Ce fut une nuit étrange. Le chaudron me parla comme jamais auparavant. Il me dévoila des choses que je ne compris pas. En tout cas, pas sur le moment...

Le Devin serra la main qui s'était posée sur la sienne. Son cœur ralentit dans sa poitrine, et la tristesse laissa place à la sérénité.

– Je vais mourir d'une minute à l'autre. Ne pleure pas. Je me sens en paix, maintenant. Le chaudron... me montra Miricaï puis m'ordonna le silence. Aussi, je prétendis que Miricaï était dans une aura de protection qu'il était impossible de pénétrer. C'était vrai dans une certaine mesure car il y avait bien une aura autour de lui. Mais elle était d'une nature toute différente. C'était une couronne de ténèbres. Ne te méprends pas: cela ne signifie pas que le Mal entoure Miricaï. Cela veut dire que Miricaï ne possède que la moitié du Langage. L'autre moitié, c'est la lumière.

Une expression d'effroi passa dans les yeux de Kuzu Dambar.

– Je l'ai vu... bien plus tard... C'est là que j'ai compris ce que m'avait montré le chaudron la première fois: c'était le Chaos, là où naît toute chose et où toute chose retourne... les ténèbres et la lumière ne faisant qu'Un. Maintenant, je vais te dire ce que m'a appris le chaudron… Approche-toi… Plus près… Miricaï… Miricaï…

Et, dans son dernier souffle, le Devin Supérieur de T'Noor se délivra de son secret.

Du même auteur à *l'école des loisirs*

Collection NEUF

Un ange avec des baskets
La chose qui ne pouvait pas exister
L'esprit de la forêt
Jusqu'au bout de la peur
Un sale moment à passer
Vilaine fille
Williams et nous